Answer Key

MODERN GREEK
ΝΕΑ ΕΛΛΗΝΙΚΑ

Theodore C. Papaloizos, Ph.D.

ISBN: 978-0-932416-65-0

8th Edition 2021

For more information, please visit www.greek123.com
Please submit changes and report errors to www.greek123.com/feedback

Printed and bound in Korea

Papaloizos Publications, Inc.
11720 Auth Lane
Silver Spring, MD 20902
301.593.0652

Part I

Lesson 1 – Μάθημα πρώτο

1.4
b. η, ι, υ

1.5
έχω, έχεις, έχει

1.6
έχω; / έχεις; / έχει;

1.7
εκεί, τότε, κακό, κότα, σύκο, σάκα

1.8
ε-κεί, τό-τε, κα-κό, κό-τα, σύ-κο, σά-κα

1.10
Responses will vary.

1.11
ο, η, το

1.12
ένας, μία (μια), ένα

1.13
το βιβλίο, το μολύβι, ο Νίκος, η Άννα

1.14
α, β, χ, μ, ν, ο, ε, ι

1.15
a. Έχει ένα βιβλίο.
b. Έχω ένα βιβλίο.
c. Έχεις ένα μολύβι;
d. Έχει ένα μολύβι.
e. Έχω ένα μολύβι.

1.16
a. ένας
b. ένα
c. μία

1.17
η Ελλάδα, η θάλασσα, η Αθήνα

Lesson 2 – Μάθημα δεύτερο

2.3
είμαι, είσαι, είναι

2.4
a. δάσκαλος, καλός, πάλι, πάνω, πεπόνι, καλή
b. παιδί, όμως, δέμα, δύο, δώδεκα, δεν

2.5
a. Είμαι μια μητέρα.
b. Τι είσαι;
c. Είναι ένα καλό παιδί.

2.6
αυτός, αυτή, αυτό

2.7

a. αυτό το βιβλίο	αυτή η μητέρα
b. αυτό το παιδί	αυτός ο Νίκος

2.8
a. έχω, είναι, έχει, είσαι
b. είμαι, έχεις, είναι, έχει

2.9
εγώ, εσύ, αυτός / αυτή / αυτό

2.10

a. ο Γιάννης	μάλιστα, ναι
b. όχι	το βιβλίο
c. το μολύβι	το στυλό
d. το παιδί	η μητέρα
e. ο Νίκος	η Άννα

2.11

a. τα βιβλία	τα μολύβια
b. τα παιδιά	

2.12
a. Yes, I have a book.
b. No, you do not have the pencil.
c. Ann has nothing.
d. Ann has something.
e. The book and the pen.
f. The pencil and the pen.

Lesson 3 – Μάθημα τρίτο

3.2

a. πατέρας άνδρας
b. μητέρα αγόρι
c. γυναίκα ο Γιάννης

3.3

a. είναι
b. είσαι
c. είμαστε
d. είναι
e. είμαι

3.4

ο

3.5

ένα

3.6

μία, μια

3.7

a. ο κύριος, η κυρία, η Μαρία, ο Νίκος
b. ο παππούς, το κορίτσι, η μητέρα, το αγόρι

3.8

Sentences will vary.

3.9

a. είναι
b. το
c. κυρία
d. ένα
e. Ελένη

3.10

a. three syllables
b. εσείς είστε
c. ο άντρας
d. ι, ο
e. εκεί, έχει

3.11

a. Ο Γιώργος είναι ένα αγόρι.
b. Η κυρία Μαρία είναι μια γυναίκα.
c. Η Άννα είναι ένα κορίτσι.
d. Ο κύριος Γιάννης είναι ένας άντρας.

Lesson 4 – Μάθημα τέταρτο

4.2

a. ο δάσκαλος η δασκάλα
b. η μαθήτρια ο μαθητής

4.3

-ος, -ας, -ης

4.4

-α, -η

4.5

-ο, -ι

4.6

a. Είναι (ένας) δάσκαλος.
b. Είναι (μια) μαθήτρια.
c. Είσαι (μια) δασκάλα.
d. Είμαι (ένας) μαθητής.

4.7

a. ο μαθητής, ένας μαθητής
το κορίτσι, ένα κορίτσι
ο δάσκαλος, ένας δάσκαλος
ο Νίκος, ένας Νίκος
b. το αγόρι, ένα αγόρι
η μητέρα, μια μητέρα
η Ειρήνη, μια Ειρήνη
το παιδί, ένα παιδί
c. το βιβλίο, ένα βιβλίο
το μολύβι, ένα μολύβι
το στυλό, ένα στυλό

4.8

a. μα-θη-τής κο-ρί-τσι
b. δά-σκα-λος Νί-κος
c. Ει-ρή-νη βι-βλί-ο

4.9

a. ένας δάσκαλος
b. μια μαθήτρια
c. ένας άντρας
d. ένα παιδί

Lesson 5 – Μάθημα πέμπτο

5.1

α, β, γ, δ, ε, ζ, η, θ, ι, κ, λ, μ, ν, ξ, ο, π, ρ, σ/ς, τ, υ, φ, χ, ψ, ω

5.2

Α, Β, Γ, Δ, Ε, Ζ, Η, Θ, Ι, Κ, Λ, Μ, Ν, Ξ, Ο, Π, Ρ, Σ, Τ, Υ, Φ, Χ, Ψ, Ω

5.3

αι, οι, ει, αυ, ευ, ου

5.4

μπ, ντ, γκ, τς, τζ

5.5

έχω, έχεις, έχει, έχουμε, έχετε, έχουν

5.6

a. λ, μ, ξ, ο, π
b. τ, ρ, ε, ι, ζ
c. β, δ, κ, φ, σ/ς

5.7

a. Έχεις (έχετε) το βιβλίο;
b. Έχουν βιβλία και μολύβια;
c. Ναι, έχουν βιβλία και μολύβια.
d. Πού είναι ο δάσκαλος (η δασκάλα);
e. Πού είναι τα παιδιά;

5.8

a. είναι
b. έχει
c. έχουμε
d. έχετε;
e. είσαι;
f. δεν είναι
g. δεν έχουμε

5.9

a. αγκαλιά, άντρας, έτσι
b. ντομάτα, μπύρα
c. μπανάνα, ντύνομαι, ντρέπομαι

5.10

a. μολύβια.
b. αγόρια.
c. κορίτσι.
d. ένας άνδρας.
e. Πού
f. μολύβια, στυλό, βιβλία, και τετράδια.

Lesson 6 – Μάθημα έκτο

6.1

a. πατέρας.
b. μητέρα.
c. παιδιά.
d. αγόρι, κορίτσι.
e. θείος
f. θεία
g. γονείς

6.2

woman, wife

6.3

man, husband

6.4

-ος, -ας, -ης, -ες, -ους

6.5

a. αδελφοί, πατέρες
b. θείοι, κεφτέδες, παππούδες
c. οι

6.6

a. του θείου
b. του κυρίου Γιάννη
c. του Γιώργου
d. του αδελφού μου
e. του δασκάλου
f. του καναπέ
g. του καφέ

6.7

Answers in a not particular order: ο παππούς, η γιαγιά, ο πατέρας, η μητέρα, ο θείος, η θεία, το αγόρι, το κορίτσι

6.8

a. Ποιος (ποια) είσαι;
Είσαι μαθητής (μαθήτρια);
b. Ποιος είναι ο κύριος Γιάννης;
Ποια είναι η κυρία Παπαδάκη;
c. Ποιο είναι αυτό το αγόρι;
Ποιο είναι αυτό το κορίτσι;
d. Είναι (ένας) πατέρας.
Είναι (μια) μητέρα.
e. Είναι η θεία του Νίκου.

Είναι ο αδελφός του Γιάννη.
f. Είναι οι γονείς της Μαρίας.
Είναι το παιδί της Ελένης.

6.9

ένα, δύο (δυο), τρία, τέσσερα, πέντε, έξι, εφτά, οχτώ, εννιά (εννέα), δέκα, έντεκα, δώδεκα, δεκατρία, δεκατέσσερα, δεκαπέντε, δεκαέξι, δεκαεφτά, δεκαοχτώ, δεκαεννιά (δεκαεννέα), είκοσι

6.10

είκοσι, δεκαεννιά, δεκαοχτώ, δεκαεφτά, δεκαέξι, δεκαπέντε, δεκατέσσερα, δεκατρία, δώδεκα, έντεκα, δέκα, εννιά, οχτώ, εφτά, έξι, πέντε, τέσσερα, τρία, δύο, ένα

6.11

δυο, τέσσερα, έξι, οχτώ, δέκα, δώδεκα, δεκατέσσερα, δεκαέξι, δεκαοχτώ, είκοσι

6.12

a. δέκα πλην πέντε κάνουν πέντε
δέκα και δέκα κάνουν είκοσι
b. εφτά και εφτά κάνουν δεκατέσσερα
τρία πλην δυο κάνουν ένα
c. οχτώ και τρία κάνουν έντεκα
δώδεκα πλην έξι κάνουν έξι
d. εννέα πλην μηδέν κάνουν εννέα
εννιά και δυο κάνουν έντεκα

6.13

a. θείος μου
b. μητέρα του πατέρα μου
c. αδελφή μου

6.14

Responses will vary but should be answered in complete sentences.

6.15

a. Είμαι ένας άντρας.
b. Ο πατέρας έχει μια θεία.
c. Ο Γιάννης είναι ένας θείος.
d. Έχω έναν αδελφό.

6.16

a. β
b. δ
c. α
d. ε
e. γ

6.17

Answers will vary.

6.18

a. κύριος
b. μαθητές
c. ο αδελφός
d. ο άντρας
e. ο παππούς
f. η Ελένη (different ending)
g. το κρασί
h. ο θείος (not in the possessive case)

Lesson 7 – Μάθημα έβδομο

7.1

a. Ο δάσκαλος είναι ο κύριος Βασιλείου.
b. Το όνομά του είναι Γιώργος.
c. Ο κύριος Βασιλείου διδάσκει ελληνικά.
d. Answer can include any of these: Η τάξη έχει θρανία, ένα γραφείο, βιβλία, μολύβια, τετράδια, πίνακες, χάρτες, μια βιβλιοθήκη, μια πόρτα και τρία παράθυρα.
e. Η βιβλιοθήκη έχει ελληνικά και αγγλικά βιβλία.
f. Η τάξη έχει τρία παράθυρα.

7.2

Answers will vary and in a not particular order: τάξη, μολύβι, πίνακας, θρανίο, γραφείο, κιμωλία, γόμα, πόρτα, παράθυρο, βιβλιοθήκη, βιβλία, χάρτης Ελλάδας, χάρτης Αμερικής, κόσμος

7.3

Responses will vary.

7.4

a. το θρανίο του μαθητή
b. η ελληνική γλώσσα
c. η τάξη, ο χάρτης
d. η βιβλιοθήκη, το χρώμα

7.5

-α, -η, -ος, -ού, -ω

7.6
a. -ες
b. -ες
c. οι

7.7

a οι θάλασσες	οι μέρες
b. οι βροχές	οι οδοί
c. (no plural)	οι νίκες

7.8
a. της μητέρας
b. της βροχής
c. της αδελφής
d. της οδού
e. της Φρόσως

7.9
a. διδάσκει
b. διδάσκεις
c. διδάσκω
d. διδάσκει
e. διδάσκουν
f. διδάσκετε
g. διδάσκουμε

7.10
a. καλημέρα
b. καλησπέρα
c. χαίρετε / γεια σου / γεια σας
d. καλησπέρα / καληνύχτα
e. γεια σου

7.11
a. χαιρετώ, χαιρετάς, χαιρετά, χαιρετούμε, χαιρετάτε, χαιρετούν
b. διδάσκω, διδάσκεις, διδάσκει, διδάσκουμε , διδάσκετε, διδάσκουν

7.12
- Hello, George.
- Hello, Niki!
- How are you?
- Very well, thank you.
- And how are you?
- I am also well.
- What lesson do you have?
- I have math.
- And you?
- I have English.
- At what time?
- At ten.
- Mine is at twelve.
- I'm glad I saw you.
- Me too. Good-bye.
- Good-bye. I hope to see you again.
- I hope so too.

7.13
a. Ο κύριος Βασιλείου είναι δάσκαλος.
b. Η τάξη έχει μια βιβλιοθήκη.
c. Η τάξη έχει ένα γραφείο.
d. Οι τοίχοι έχουν χρώμα άσπρο.
e. Το πάτωμα έχει χρώμα καφέ.
f. Η τάξη έχει μια πόρτα και τρία παράθυρα.
g. Η βιβλιοθήκη έχει αγγλικά και ελληνικά βιβλία.
h. Ο κύριος Βασιλείου είναι δάσκαλος.
i. Ο κύριος Βασιλείου διδάσκει ελληνικά.

7.14.
a. Η τάξη έχει καφέ πάτωμα.
b. Τα βιβλία είναι στη βιβλιοθήκη.
c. Το όνομα του δασκάλου είναι Γιώργος.
d. Ο πίνακας είναι πράσινος.
e. Το γραφείο του δασκάλου είναι μεγάλο.
f. Το θρανίο του μαθητή είναι μικρό.

Lesson 8 – Μάθημα όγδοο

8.1
a. το κεφάλι
b. ο ώμος
c. το στήθος
d. το στομάχι
e. το χέρι
f. το δάχτυλο
g. το γόνατο
h. το πόδι

8.2
a. Με τη μύτη.
b. Με τα πόδια.
c. Με τα μάτια.
d. Η γλώσσα.
e. Με τα αυτιά.
f. Δυο.
g. Μαλλιά.
h. Answers will vary.

i. Answers will vary.
j. Πέντε.
k. Δέκα.

8.3

a. αυτιά.
b. το στόμα.
c. το χέρι.
d. τα πόδια.
e. τα πόδια.
f. το στόμα.
g. τα μάτια.
h. τη μύτη.
i. τη μύτη.

8.4

a. -ο, -ι, -μα, -ος
b. τα

8.5

a. τα δάχτυλα	τα πόδια
b. τα στόματα	τα πρόσωπα
c. τα μάτια	τα φώτα
d. τα αυτιά	τα ονόματα
e. τα κρέατα	τα καλά
f. τα ωραία	τα μήλα

8.6

a. Τρώει.	Τρώμε.
b. Τρως (τρώτε);	Δεν τρώνε.
c. Ποιος (ποια) τρώει;	(Εγώ) τρώω.

8.7

a. Λέω.	(Αυτή) λέει.
b. Δεν λέμε.	Λες (λέτε);

8.8

a. του παιδιού.	child's
b. του μαθήματος.	of the lesson
c. του δάσους.	of the forest
d. του σχολείου.	of the school
e. του πανεπιστημίου.	of the university
f. του προσώπου.	of the face

8.9

a. πολύ νερό	πολλοί άνθρωποι (άντρες)
b. πολλά παιδιά	πολλά λεφτά (χρήματα)
c. πολλά κορίτσια	πολλές μητέρες
d. πολλή βροχή	πολλοί δάσκαλοι

8.10

a. πρό-σω-πο	περ-πα-τώ
b. α-να-πνέ-ω	α-ρι-στε-ρό
c. γλώσ-σα	δό-ντι-α (δό-ντια)
d. δά-χτυ-λο	μαύ-ρα

8.11

a. καπέλο
b. περπατώ
c. γλώσσα
d. δάχτυλο
e. παίζω
f. πρόσωπο

8.12

a. τα πόδια του.
b. τα χέρια του.
c. τα αυτιά της.
d. το στόμα του.
e. τη μύτη της.
f. τα μάτια του.
g. το χέρι της.

Lesson 9 – Μάθημα ένατο

9.1

Answers will vary.

9.2

a. Θέλει να δείξει το καινούριο της σπίτι.
b. Προσκαλεί τις φίλες της σε απογευματινό τσάι.
c. Στην τραπεζαρία.
d. Προσφέρει μπισκότα, κουλουράκια, και βουτήματα.
e. Βελούδινες.
f. Τρία δωμάτια.
g. Πηγαίνουν στην αυλή (στον κήπο – in the garden).
h. Έχει λουλούδια, θάμνους και δέντρα.

9.3

a. κουζίνα.
b. δωμάτια.

c. ψυγείο.
d. καναπέ.
e. τραπέζι.
f. κρεβατοκάμαρα.
g. λουλούδια / θάμνους / δέντρα.

9.4

a. Οι φίλοι μου είναι καλοί.
b. Οι κυρίες μένουν στα μεγάλα σπίτια.
c. Οι μήνες έχουν λατινικά ονόματα (λατινικό όνομα).
d. Τα κουλουράκια έχουν βούτυρο, γάλα και ζάχαρη.
e. Τα λουλούδια είναι μυρωδάτα.
f. Οι κουζίνες είναι μεγάλες.

9.5

a. δείχνει	αγαπά
b. προσκαλεί	χρειάζεται
c. δείχνουμε	αγαπούμε
d. προσκαλούμε	χρειαζόμαστε

9.6

a. Μου αρέσει ο καφές.
b. Του αρέσουν τα μήλα.
c. Τους αρέσουν τα παιχνίδια.
d. Της αρέσουν τα ωραία (όμορφα) ρούχα.
e. Του αρέσει το τσάι.
f. Μου αρέσει το κρασί.
g. Σου αρέσουν τα γλυκίσματα;

9.7

a. άσπρο, άσπρο αυτοκίνητο
b. κόκκινο, κόκκινα τριαντάφυλλα
c. γαλάζιο (μπλε, γαλανό), γαλάζιος (μπλε, γαλανός) ουρανός
d. πράσινο, πράσινο φύλλο
e. μαύρο, μαύρη φορεσιά
f. πορτοκαλί, χρώμα πορτοκαλί
g. κίτρινο, κίτρινο μολύβι
h. καφέ, καφέ παπούτσια
i. ροζ, ροζ λουλούδι
j. πράσινο, πράσινο φως
k. άσπρο, άσπρο πουκάμισο
l. πολύχρωμο, πολύχρωμη εικόνα (φωτογραφία)

9.8

a. είμαι, είσαι
b. είναι, είναι
c. είμαστε, είστε
d. είναι, είναι

9.9

a. του ανθρώπου (του άντρα)
b. της γλώσσας
c. του δεξιού χεριού
d. του φίλου μου
e. του φίλου σου

9.10

a. μιλώ	d. μιλούμε
b. μιλάς	e. μιλάτε
c. μιλά	f. μιλούν

9.11

a. δρόμος
b. μπουφές
c. μπάνιο
d. καναπές
e. χαλί

9.12

a. Η κυρία Αλεξίου προσκαλεί τις κυρίες για απογευματινό τσάι.
b. Οι κυρίες πίνουν το τσάι που είναι ζεστό.
c. Όλες οι κυρίες μετά το τσάι βγαίνουν από το σπίτι έξω στη μεγάλη αυλή.

Lesson 10 – Μάθημα δέκατο

10.1

a. Είναι ένας καθηγητής.
b. Διδάσκει Νέα Ελληνικά.
c. Διδάσκει σ' ένα πανεπιστήμιο.
d. Διδάσκει στο πρώτο τμήμα.
e. Είναι μια καθηγήτρια.
f. Διδάσκει Νέα Ελληνικά.
g. Διδάσκει στο δεύτερο τμήμα.

10.2

a. Νέα Ελληνικά	ο φοιτητής
b. το πανεπιστήμιο	το μάθημα
c. η τάξη	το τμήμα
d. ο καθηγητής	η καθηγήτρια
e. η γλώσσα	η εύκολη γλώσσα

10.3

a. Ρωτά. Απαντώ.
b. Ρωτούμε (ρωτάμε). Απαντούν (απαντάνε).
c. Ρωτάς (ρωτάτε); Δεν απαντώ.
d. Ρωτούν (ρωτάνε); Απαντούν (απαντάνε);
e. Τι λες (τι λέτε); Δε λέω τίποτα.
f. Τι λέει; Λέει κάτι.
g. Τι λένε; Λένε πολλά.

10.4

a. δεύτερ-ος, -η, -ο τέταρτ-ος, -η, -ο
b. δέκατ-ος, -η, -ο εικοστ-ός, -ή, -ό
c. πρώτ-ος, -η, -ο έκτ-ος, -η, -ο
d. τρίτ-ος, -η, -ο εντέκατ-ος, -η, -ο

10.5

a. Πώς είσαι;
b. Πόσων χρόνων είσαι;
c. Πώς είναι η μέρα;
d. Πώς είναι το μάθημα;
e. Πώς είναι η τάξη;
f. Πώς είναι ο καθηγητής;

10.6

a. Έλληνας
b. Έλληνας, ελληνόπουλο
c. ελληνόπουλα
d. ελληνοπούλα
e. Ελλάδα
f. ελληνική γλώσσα
g. Ελληνίδα
h. ελληνικό

10.7

a. μαθητές. (φοιτητές)
b. μαθήτριες.(φοιτήτριες)
c. Πώς είσαι σήμερα;
d. Πολύ καλά, απαντούν οι φοιτητές (μαθητές).

10.8

a. ο φοιτητής (μαθητές) του πρώτου τμήματος
b. ο καθηγητής του δευτέρου τμήματος
c. οι φοιτητές (μαθητές) που μαθαίνουν Ελληνικά
d. ο δάσκαλος που διδάσκει Ελληνικά
e. ο δωδέκατος φοιτητής (μαθητής) της πρώτης τάξης

Lesson 11 – Μάθημα εντέκατο

11.1

a. Ο πατέρας.
b. Ένα μικρό αυτοκίνητο.
c. Είχε χρώμα κόκκινο.
d. Είχε τρία αδέλφια.
e. Είχαν λίγα παιχνίδια.
f. Το σπίτι ήταν μικρό.
g. Τα δωμάτια ήταν μικρά.
h. Το σπίτι ήταν μικρό αλλά είχε αρκετό χώρο για την οικογένεια.
i. Η οικογένεια δεν είχε αυτοκίνητο.
j. Τότε ο κόσμος δεν είχε αυτοκίνητα. Τα αυτοκίνητα ήταν λίγα και ακριβά.
k. Η οικογένεια είχε λίγα πράγματα.
l. Η οικογένεια ήταν ευχαριστημένη και ευτυχισμένη.

11.2

a. είχε ήταν
b. ήμαστε, ήμασταν είχες
c. ήσουν ήταν
d. ήμουν είχα
e. είχαμε ήσαστε, ήσασταν

11.3

a. Ο φοιτητής ήταν στην τάξη.
b. Είχα ένα καινούριο αυτοκίνητο.
c. Ήμαστε (ήμασταν) τρία αδέλφια.
d. Είχαμε πολλά πράγματα.
e. Τι μάθημα είχατε;
f. Πόσα λεφτά είχες στην τσέπη σου;

11.4

a. εγώ, εσύ, αυτός, αυτή
b. εμείς, εσείς, αυτοί
c. αυτές, αυτά

11.5

a. ο πατέρας μου η αδελφή σου
b. το παιδί της ο καθηγητής (η καθηγήτριά) μας
c. το σχολείο τους ο δάσκαλός (η δασκάλα) σας

11.6

a. Του δίνω ένα βιβλίο.
b. Μου γράφει ένα γράμμα.
c. Του λέω το όνομά μου.
d. Μας δίνουν ένα δώρο.
e. Μας διδάσκει αγγλικά.
f. Τους (τις, τα) διδάσκουμε Ελληνικά.

11.7

a. Σε αγαπούμε (αγαπάμε).
b. Με χτυπά (χτυπάει).
c. Σε περιμένω (σας περιμένω).
d. Τον χαιρετούν.
e. Με ρωτάς (με ρωτάτε).
f. Σε βλέπω (σας βλέπω).

11.8

a. Τι έχεις (έχετε);
b. Τι λέει;
c. Τι είσαι (είστε);
d. Τι τρώνε;
e. Τι πίνεις (πίνετε);
f. Τι θέλετε;
g. Τι γράφει;
h. Τι διαβάζεις (διαβάζετε);

11.9

a. Why they do not know?
b. Do you know?
c. We do not know.
d. Does he (she) not know?
e. Yes, I know.
f. Don't you know?
g. Who does not know?
h. What do you not know?

Lesson 12 – Μάθημα δωδέκατο

12.1

Δευτέρα, Τρίτη, Τετάρτη, Πέμπτη, Παρασκευή, Σάββατο, Κυριακή

12.2

a. Παρασκευή
b. Κυριακή
c. Δευτέρα
d. Πέμπτη
e. η Τρίτη
f. η Τετάρτη

12.3

a. η Πέμπτη
b. η Παρασκευή
c. το Σάββατο
d. εφτά μέρες

12.4

a. ίσιο δρόμο	ίσιους δρόμους
b. τον φύλακα	τους φύλακες
c. μαθητή	μαθητές
d. αυστηρό δάσκαλο	αυστηρούς δασκάλους
e. καθηγητή	καθηγητές
f. ζεστό καφέ	ζεστούς καφέδες
g. νόστιμους κεφτέδες	

12.5

a. χαρά	χαρές
b. γραμμή	γραμμές
c. καρδιά	καρδιές
d. πόλη	πόλεις
e. τη λεωφόρο	λεωφόρους

12.6

a. το παιδί	τα παιδιά
b. το πρόσωπο	τα πρόσωπα
c. το θέατρο	τα θέατρα
d. το κύμα	τα κύματα
e. το όνομα	τα ονόματα
f. το μέρος	τα μέρη
g. το έθνος	τα έθνη

12.7

a. στην πόλη, στη Νέα Υόρκη, στο σινεμά, στο θέατρο
b. στον πατέρα, στον δάσκαλο, στο σχολείο, στο σπίτι
c. στην αυλή, στον δρόμο, στο τραπέζι, στο ψυγείο
d. στο σπίτι, στο δωμάτιο, στο αυτοκίνητο, στο δέντρο
e. στο ποτήρι, στο βιβλίο, στον ουρανό, στο κεφάλι
f. στην τάξη, στο χέρι σου, στο μάτι σου

12.8

a. την Κυριακή, σήμερα, την Παρασκευή
b. κάθε μέρα, αύριο, χτες
c. τη Δευτέρα, Ποια μέρα;, κάποια μέρα

d. και τις δυο μέρες, όλη τη μέρα, μισή μέρα
e. στις εφτά μέρες, όλες τις μέρες, σε μια μέρα
f. σε δυο μέρες, σε πέντε μέρες, κάθε μέρα

12.9

a. Πέμπτη
b. Παρασκευή
c. Δευτέρα
d. Τρίτη
e. Κυριακή
f. Τετάρτη
g. Σάββατο

12.10

a. Κυριακή
b. Δευτέρα, Παρασκευή
c. Σάββατο
d. Κυριακή, Παρασκευή

Lesson 13 – Μάθημα δέκατο τρίτο

13.1

a. Ένα διαμέρισμα.
b. Ναι, είχαν αυτοκίνητο.
c. Κάθε μέρα έκαναν μικρές εκδρομές.
d. Στα κοντινά νησιά.
e. Κολυμπούσαν στις παραλίες.
f. Έτρωγαν φρέσκα ψάρια και ψητό.
g. Έπιναν ντόπιο κρασί.
h. Οι άνθρωποι ήταν φιλόξενοι.
i. Τους έδιναν δώρα και φρούτα.
j. Τους προσκαλούσαν στα σπίτια τους.
k. Πέρασαν ένα αξέχαστο καλοκαίρι.

13.2

The past continuous tense is formed by adding a suffix to the stem of the verb and the syllabic augment **ε** if it begins with a consonant. Group 1 verbs add the suffix **-α** and Group 2 and 3 verbs **-ουσα**.

13.3

a. Ήταν καλός μαθητής.
b. Είχαμε πολλά παιχνίδια.
c. Ήμαστε (ήμασταν) τρία αδέλφια.
d. Ήσαστε (ήσασταν) καλοί ποδοσφαιριστές.
e. Τι ήσουν (ήσουνα);
f. Είχαν πολλά λεφτά.
g. Είχε δυο μαγαζιά.
h. Ποιοι δεν είχαν βιβλία;
i. Δεν είχατε σπίτι;

13.4

a. σε έβλεπα	του έγραφε
b. τρώγαμε	έπιναν
c. με αγαπούσε	ζούσαν καλά
d. δε σου μιλούσα	Τι έπαιζες;

13.5

a. Αυτό το καλοκαίρι ήμουν
b. Έτρωγα
c. Έπινα
d. Έβλεπα
e. Έγραφα κάθε μέρα
f. Κολυμπούσα κάθε μέρα.
g. Δεν είχα πολλά λεφτά.

13.6

a. φιλόξενος	d. φιλόξενη
b. φιλόξενοι	e. φιλόξενα
c. φιλόξενο	f. φιλόξενες

13.7

a. ντόπιο	d. ντόπια
b. ντόπια	e. ντόπιο
c. ντόπιες	f. ντόπια

13.8

a. τρώω, τρως, τρώει, τρώμε, τρώτε, τρώνε
b. έτρωγα, έτρωγε, έτρωγε, τρώγαμε, τρώγατε, έτρωγαν

13.9

a. κάθε άνθρωπος, καθένας άνθρωπος
κάθε γυναίκα, καθεμιά γυναίκα
κάθε παιδί, καθένα παιδί
κάθε σχολείο, καθένα σχολείο
κάθε μαθητής, καθένας μαθητής
κάθε δάσκαλος, καθένας δάσκαλος
b. κάθε σπίτι, καθένα σπίτι
κάθε βιβλίο, καθένα βιβλίο
κάθε δωμάτιο, καθένα δωμάτιο
κάθε όνομα, καθένα όνομα
κάθε πατέρας, καθένας πατέρας

κάθε μητέρα, καθεμιά μητέρα
c. κάθε θείος, καθένας θείος
κάθε θεία, καθεμιά θεία
κάθε αγόρι, καθένα αγόρι
κάθε κορίτσι, καθένα κορίτσι
κάθε καθηγητής, καθένας καθηγητής
κάθε τραπέζι, καθένα τραπέζι

13.10

a. ποδήλατο
b. παιχνίδι
c. τον
d. ο Γιάννης
e. το όνομά μας

13.11

a. είμαι
b. τρώμε
c. πίνει
d. παίζουμε

Lesson 14 – Μάθημα δέκατο τέταρτο

14.1

a. Στις εφτά το πρωί.
b. Έκανε ένα μπάνιο κι έλουσε τα μαλλιά της.
c. Τα στέγνωσε με το πιστολάκι.
d. Με την οδοντόβουρτσα και την οδοντόκρεμα.
e. Πήρε το πρωινό της.
f. Μια ομελέτα με ζαμπόν και δυο φέτες σταρένιο ψωμί.
g. Γίνεται με αβγά.
h. Έφαγε σταρένιο ψωμί.
i. Ήπιε ένα ποτήρι πορτοκαλάδα κι ένα φλιτζάνι καφέ.
j. Όχι, δεν έβαλε γάλα στον καφέ της.
k. Όχι, δεν έβαλε ζάχαρη στον καφέ της.
l. Δε διάβασε την εφημερίδα. Έριξε μόνο μια ματιά.
m. Γιατί δεν είχε ώρα.
n. Πήγε με το λεωφορείο στη δουλειά της.
o. Κοντά στη δουλειά της.
p. Περπάτησε.

14.2

a. το πρωί.
b. Χτένισε
c. μια ομελέτα.
d. σταρένιο ψωμί.
e. στην εφημερίδα.
f. το λεωφορείο.

14.3

a. Σε είδα. Δε σε γνώρισα.
b. Μου έγραψε. Διάβασε πολύ.
c. Μας έδωσε λεφτά. Δε είχα λεφτά.
d. Ήθελα να πάω. Έτρεξε γρήγορα.
e. Είπα κάτι. Φάγαμε πρωινό.

14.4

a. Έζησε στην Αθήνα.
b. Ο Τάσος αγάπησε την Ανθή.
c. Δεν μπόρεσα να τον δω.

14.5

a. Ήμουν νέος.
b. Ήρθε στις δέκα.
c. Κάθισε στην Αθήνα.
d. Χρειάστηκα μερικά λεφτά.
e. Ντύθηκε γρήγορα και έφυγε.

14.6

a. the water that we drink
b. the lesson that we have
c. the children that play
d. the professor who is teaching
e. the player who plays soccer
f. the words that we write

14.7

a. The man who came yesterday.
b. The professor who wrote this book.
c. The students who attend school for the first time.
d. The orchestra that plays at our dance.
e. The helicopters that passed a little while ago.
f. The professor who punishes the students.

14.8

a. Πού είσαι (πού είστε);
b. Πού πηγαίνεις (πού πηγαίνετε);
c. Πού είναι τα βιβλία μου;
d. Πού πήγαν;
e. Πού είναι το θέατρο;

f. Πού είναι μια τράπεζα;

14.9

a. καθηγητές
b. φλιτζάνια καφέ
c. λεωφορεία
d. οδοντόβουρτσες
e. οδοντόκρεμες
f. ματιές
g. εφημερίδες
h. σκέτοι καφέδες

14.10

a. έγραψα, έγραψες, έγραψε, γράψαμε, γράψατε, έγραψαν
b. πήγα, πήγες, πήγε, πήγαμε, πήγατε, πήγαν
c. στέγνωσα, στέγνωσες, στέγνωσε, στεγνώσαμε, στεγνώσατε, στέγνωσαν

14.11

a. Λάθος
b. Λάθος
c. Σωστό
d. Λάθος
e. Σωστό

14.12

a. καφέδες.
b. Τα φλιτζάνια είναι γεμάτα.
c. Διάβασα τις εφημερίδες.
d. Έγραψα τα γράμματα.
e. Πήγα με τα λεωφορεία.
f. Δουλεύω σε γραφεία.

Lesson 15 – Μάθημα δέκατο πέμπτο

15.1

a. δώδεκα και τέταρτο
b. δέκα και είκοσι πέντε
c. εννιά παρά είκοσι
d. δώδεκα και μισή
e. δέκα και τέταρτο
f. δώδεκα παρά τέταρτο
g. τρεις παρά τέταρτο
h. δύο παρά δέκα
i. έξι παρά είκοσι

15.2

a. δέκα η ώρα το πρωί
b. πέντε και τέταρτο
c. τέσσερις παρά τέταρτο
d. έξι και είκοσι
e. δώδεκα η ώρα μεσάνυχτα
f. δώδεκα η ώρα μεσημέρι
g. πεντέμισι
h. τρεις η ώρα (η ώρα τρεις)
i. οχτώ και είκοσι
j. δέκα παρά δέκα

15.3

a. των θαλασσών
b. των παιδιών
c. των δρόμων
d. των δέντρων
e. των σπιτιών
f. των μαθημάτων
g. των σχολείων

15.4

a. πρωί
b. μεσημέρι
c. απόγευμα
d. νύχτα

15.5

a. το μολυβάκι — το ποτηράκι
b. το παιχνιδάκι — το τραγουδάκι
c. το χεράκι — το ποδαράκι

15.6

a. τριάντα οχτώ, σαράντα, ένα, είκοσι πέντε
b. είκοσι δύο, σαράντα τέσσερα, έντεκα, τριάντα πέντε
c. δέκα, δεκαέξι, τρία, δεκατέσσερα
d. πέντε, είκοσι ένα, τριάντα τρία, τριάντα τέσσερα

15.7

a. χίλια εφτακόσια εβδομήντα έξι (Ημέρα Ανεξαρτησίας της Αμερικής - Εθνική Γιορτή της Αμερικής)
b. χίλια οχτακόσια είκοσι ένα (Ημέρα Ανεξαρτησίας της Ελλάδας – Εθνική Γιορτή)
c. χίλια εννιακόσια ενενήντα δύο (Πρώτο ταξίδι του Χριστόφορου Κολόμβου.)
d. τετρακόσια εβδομήντα τέσσερα μ.Χ.

(Πτώση της Ρωμαϊκής Αυτοκρατορίας)
e. χίλια τετρακόσια πενήντα τρία μ.Χ.
(Πτώση της Βυζαντινής Αυτοκρατορίας)

15.8

a. Γιατί μιλά (μιλάει);
b. Γιατί δεν ήρθες (ήρθατε);
c. Γιατί πίνεις (πίνετε);
d. Γιατί είναι εδώ;
e. Γιατί πήγες εκεί;
f. Γιατί δε δουλεύουν;

Lesson 16 – Μάθημα δέκατο έκτο

16.1

a. ζακέτα
b. κοστούμι
c. φουστάνι
d. γραβάτα
e. παπούτσια
f. τσάντα

16.2

a. Ο Μανόλης φορά (φοράει) εσώρουχα, πανταλόνι, πουκάμισο, και σακάκι.
b. Η Μαρία φοράει φουστάνια.
c. Ο Μανόλης στο κεφάλι φοράει καπέλο ή σκουφί.
d. Τον χειμώνα φορούμε (φοράμε) παλτό.
e. Γιατί δεν βλέπει μακριά ή κοντά.
f. Οι γυναίκες συνήθως φορούν (φοράνε)φουστάνια, μπλούζες και φούστες.

16.3

a. παλτό.
b. γραβάτα.
c. μπλούζες.
d. καπέλο.
e. γυαλιά.
f. φουστάνι.
g. κοστούμι.
h. παπούτσια.

16.4

a. κοστούμια
b. μπλούζες
c. καπέλα
d. ζώνες
e. πουκάμισα
f. γραβάτες
g. πανταλόνια
h. μαντήλια

16.5

a. πιο μικρός	μικρότερος
b. πιο μικρή	μικρότερη
c. πιο μεγάλο	μεγαλύτερο
d. πιο μεγάλη	μεγαλύτερη
e. πιο βαθύς	βαθύτερος

16.6

a. ψηλότερο (πιο ψηλό)
b. μεγαλύτερο (πιο μεγάλο)
c. βαρύτερο (πιο βαρύ)
d. μικρότερα (πιο μικρά)

16.7

a. βεβαίως, δυστυχώς
b. ευτυχώς, ευχαρίστως

Lesson 17 – Μάθημα δέκατο έβδομο

17.1

a. θα τρώει, θα φάει
b. θα γράφουμε, θα γράψουμε
c. θα παίζει, θα παίξει
d. θα λένε, θα πουν
e. θα αγαπά, θα αγαπήσει
f. θα κάθεται, θα καθίσει

17.2

a. Είναι Ιανουάριος. Θα είναι Ιανουάριος.
b. Θα χιονίζει.
c. Το χιόνι θα πέφτει μαλακά.
d. Θα σκεπάσει δρόμους, αυλές, αυτοκίνητα, σπίτια, δέντρα, τα πάντα.
e. Γιατί τους αρέσει πολύ.
f. Θα φορέσουν χοντρά ρούχα.
g. Θα παίξουν στο χιόνι.
h. Θα κάνουν έναν χιονάνθρωπο.
i. Ο πατέρας θα ανάψει το τζάκι.
j. Η μητέρα θα ετοιμάσει μια σούπα.

17.3

a. έτρωγα, έφαγα, θα τρώω, θα φάω

b. έπινε, ήπιε, θα πίνει, θα πιει
c. γράφαμε, γράψαμε, θα γράφουμε, θα γράψουμε
d. έλεγαν, είπαν, θα λένε, θα πουν
e. διάβαζες, διάβασες, θα διαβάζεις, θα διαβάσεις
f. παίζαμε, παίξαμε, θα παίζουμε, θα παίξουμε
g. μπορούσα, μπόρεσα, θα μπορώ, θα μπορέσω
h. περπατούσε, περπάτησε, θα περπατά θα περπατήσει
i. πηδούσες, πήδηξες, θα πηδάς, θα πηδήξεις.

17.4

a. καλοκαίρι
b. αγάπησε
c. πόρτα
d. παπούτσια

17.5

a. το τζάκι, η σούπα , έξω, ο χειμώνας
b. το τσάι, ο χιονάνθρωπος, ο χιονοπόλεμος
c. τα ρούχα, η δουλειά, ο ταξιδιώτης

17.6

a. Αυτός είναι ένας δρόμος. Βλέπω τον δρόμο. Είμαι στον δρόμο.
b. Χιονίζει. Το χιόνι είναι άσπρο. Το χιόνι είναι κρύο. Κρυώνω. Κάνει κρύο.
c. Το χιόνι σκεπάζει τα σπίτια. Τα σπίτια σκεπάζονται με χιόνι.
d. Η μητέρα ετοιμάζει σούπα. Η σούπα είναι ζεστή. Τα παιδιά τρώνε τη σούπα.
e. Ο πατέρας ανάβει το τζάκι. Το σπίτι είναι ζεστό. Μου αρέσει η φωτιά.
f. Φορώ (φοράω) ζεστά ρούχα. Τα παιδιά παίζουν έξω.
g. Τα παιδιά παίζουν έξω.

17.7

a. ετοιμάζει
b. ετοιμάζεται
c. Ετοιμαζόμαστε
d. Είσαι έτοιμος (έτοιμη); or
Είστε έτοιμοι (έτοιμες);
e. Θα είναι έτοιμοι (έτοιμες, έτοιμα) σε μια ώρα.

Part II

Lesson 18 – Μάθημα δέκατο όγδοο

18.1

a. Πηγαίνει στην αγορά.
b. Πηγαίνει στην αγορά για ψώνια.
c. Από το κρεοπωλείο.
d. Ψωνίζουν κοτόπουλο, αρνί, μπριζόλες, βοδινό κρέας και κιμά.
e. Από το ζαχαροπλαστείο.
f. Αγοράζουν γαλακτομπούρεκο, κανταΐφι και μπακλαβά.
g. Από το μανάβικο ψωνίζουν ντομάτες, αγγουράκια, φρέσκα φασολάκια και πολλά φρούτα.
h. Τα παιδιά θέλουν κεράσια.
i. Γιατί δεν είναι ακόμα καιρός για κεράσια.
j. Από την κάβα.

18.2

a. ένα κρεοπωλείο
b. ένα μανάβικο
c. ένα οινοπνευματοπωλείο
d. άρτος
e. αλκοολούχα ποτά
f. λαχανικά
g. φρούτα

18.3

a. Το γράμμα γράφτηκε από τη Μαρία.
b. Το παιδί ντύθηκε από τη μητέρα.
c. Ο Αντρέας χτυπήθηκε από ένα αυτοκίνητο.
d. Ο αθλητής αγαπήθηκε από τον κόσμο.
e. Αυτό το σπίτι αγοράστηκε από τον φίλο μου.

18.4

a. I ate
b. I was hit
c. I was being hit
d. I was feeling
e. I felt
f. I was written
g. I was sold
h. I sold
i. I was being sold

18.5

a. Πήγαμε στην αγορά.
b. Αγοράσαμε λίγο αρνί (αρνίσιο κρέας).
c. Αγοράσαμε δώρα.
d. Φάγαμε μερικά γλυκίσματα.
e. Είδαμε μια (κινηματογραφική) ταινία.
f. Αγοράσαμε λίγα φρούτα.

18.6

a. κρεοπωλείο.
b. ζαχαροπλαστείο.
c. μανάβικο.
d. οινοπνευματοπωλείο (στην κάβα).

18.7

a. κεράσια
b. καρπούζι
c. πεπόνι
d. μπανάνες
e. ντομάτες
f. λεμόνια
g. φρέσκα φασολάκια
h. μαρούλι
i. μελιτζάνες
j. μήλα
k. καρότα
l. πορτοκάλια
m. αχλάδια
n. αγγούρια

Lesson 19 – Μάθημα δέκατο ένατο

19.1

a. Τέσσερα παιδιά.
b. Λεγόταν Χειμώνας.
c. Ήταν άσπρα.
d. Του άρεσε πολύ ο κρύος καιρός.
e. Λεγόταν Άνοιξη.
f. Ήταν όμορφο. Το πρόσωπό του έλαμπε σαν τον ήλιο.
g. Τα λουλούδια, τριαντάφυλλα, κρίνοι, και χρυσάνθεμα.
h. Με στεφάνια από φρεσκοκομμένα λουλούδια.
i. Ήταν λυπημένο.
j. Με τον μεγάλο του αδελφό, τον Χειμώνα.
k. Το Καλοκαίρι ήταν θερμόαιμο.
l. Του άρεσαν πιο πολύ τα φρούτα.
m. Τα παιδιά του χειμώνα ήταν ο Δεκέμβριος, ο Ιανουάριος και ο Φεβρουάριος
n. Τα παιδιά της Άνοιξης ήταν ο Μάρτιος, ο Απρίλιος και ο Μάιος.
o. Τα φώναζε με το όνομα «Μήνες».
p. Από τον Φεβρουάριο.
q. Γιατί όλοι ήθελαν να είναι πρώτοι.

19.3

a. χειμώνας
b. άνοιξη
c. καλοκαίρι
d. φθινόπωρο

19.4

a. Η ημερομηνία σήμερα είναι δεκαπέντε Σεπτεμβρίου δύο χιλιάδες οχτώ. (Σήμερα είναι η δεκάτη πέμπτη Σεπτεμβρίου του δύο χιλιάδες οχτώ.)
b. Η ημερομηνία χτες ήταν έντεκα Οκτωβρίου.
c. Τα γενέθλιά μου είναι στις (στην) ...
d. Η Ελληνική Επανάσταση άρχισε στις είκοσι πέντε Μαρτίου του χίλια οχτακόσια είκοσι ένα.
e. Η Αμερικανική Επανάσταση έγινε το χίλια εφτακόσια εβδομήντα έξι.
f. Πρώτη Ιανουαρίου δύο χιλιάδες εννέα

19.5

a. Πάσχα, Ανάσταση
b. Κοίμησις της Θεοτόκου
c. Ελληνική Επανάσταση
d. Πρωτοχρονιά
e. Γενέθλια
f. Ημέρα αποφράδα
g. Ημέρα του ΟΧΙ
h. Μεγάλη Παρασκευή

19. 6

a. Answers will vary: κάθομαι, έρχομαι, χρειάζομαι,
b. Present: φαίνομαι, φαίνεσαι, φαίνεται, φαινόμαστε, φαίνεστε, φαίνονται
Past Continuous: φαινόμουν, φαινόσουν(α), φαινόταν(ε), φαινόμαστε (φαινόμασταν), φαινόσαστε (φαινόσασταν), φαίνονταν

(φαινόντουσαν)
Past Simple:φάνηκα, φάνηκες, φάνηκε, φανήκαμε, φανήκατε, φάνηκαν

19.7

a. Το έχω.
b. Τον βλέπω.
c. Το πίνω.
d. Την αγαπώ.
e. Τους ξέρω.
f. Τους λυπούμαι.
g. Τα γράφω.
h. Τις πέρασα.

19. 8

a Κυριακή
b. άνοιξη
c. νύχτα
d. κρίνος
e. χειμώνας

Lesson 20 – Μάθημα εικοστό

20.1

a. Στη Ρώμη.
b. Έφυγε πρωί πρωί.
c. Ταξίδεψε με το τρένο.
d. Ταξίδεψε με το πλοίο.
e. Πήγαινε στην Πάτρα.
f. Συνάντησε τρικυμία.
g. Έμεινε κλεισμένος στην καμπίνα του.
h. Ο καιρός στην Αθήνα ήταν πολύ καλός.
i. Ο φίλος του, ο Μανόλης.
j. Ο καιρός δεν ήταν και τόσο καλός.
k. Θα χιονίζει.
l. Με το πλοίο «Καζαντζάκης».
m. Θα πήγαιναν για βραδινό φαγητό.

20.2

a. Βρέχει.	Χιονίζει.
b. Κάνει κρύο.	Κάνει ζέστη.
c. Άσχημος καιρός.	Καλός καιρός.
d. Βροντά (βροντάει).	Αστράφτει.
e. Κάνει (έχει) υγρασία.	Είναι κρύος καιρός. (Καιρός κρύος.)
f. Είναι ζεστός καιρός (ζεστός καιρός).	Ψιχαλίζει.

20.3

a. ψηλότερο / πιο ψηλό, πολύ πολύ ψηλό
b. μεγαλύτερος / πιο μεγάλος, πολύ πολύ μεγάλος
c. μικρότερο / πιο μικρό, πολύ πολύ μικρό
d. γλυκύτερο / πιο γλυκό, πολύ πολύ γλυκό

20.4

a. Πόσο κάνει αυτό;
b. Πόση δουλειά έχεις (έχετε);
c. Πόσα λεφτά (χρήματα) έχει;
d. Πόσο κάνει αυτό το αυτοκίνητο;
e. Πόσοι άντρες είναι εδώ;
f. Πόσες γυναίκες είναι εδώ;
g. Πόσα λεφτά (χρήματα) έχουμε;
h. Πόσες μέρες είναι σε μια εβδομάδα (έχει μια εβδομάδα);
i. Πόσα παιδιά έχουν ο κύριος και η κυρία Σμιθ;

20.5

a. ζέστη
b. κρύο
c. παγώνει
d. τον καιρό
e. ζεστά ρούχα
f. τη βροντή
g. βροντά

Lesson 21 – Μάθημα εικοστό πρώτο

21.1

a. Είναι γνώστης πολλών γλωσσών.
b. Κάθεται στον ήλιο, πίνει καφεδάκι, διαβάζει την εφημερίδα και βλέπει τους ανθρώπους που πηγαίνουν στις δουλειές και τα ψώνια τους.
c. Είναι ογδόντα χρόνων.
d. Γιατί ξέρει πολλές γλώσσες.
e. Έμαθε ιταλικά, γαλλικά, γερμανικά, αγγλικά και ελληνικά.
f. Τις έμαθε στην Ιταλία, Γαλλία, Γερμανία και Αγγλία.
g. Ο πατέρας του ήταν βιομήχανος.
h. Σπούδασε σε πανεπιστήμια της Ευρώπης.
i. Στην Αγγλία.
j. Στη Γερμανία.
k. Στην Ινδία, Κίνα και Ιαπωνία.
l. Γιατί γύρισε σε πολλές χώρες του κόσμου.

21.2

a. Πολύγλωσσος
b. Κοσμογυρισμένος
c. Φοιτητής
d. Κίνα
e. Βραζιλία
f. Καναδάς
g. Πολυμαθής
h. Μοναχογιός
i. Ηλικιωμένος

21.3

a. να γράφω	να γράψω
b. να τρώω	να φάω
c. να διαβάζω	να διαβάσω
d. να αγαπώ	να αγαπήσω
e. να μιλώ	να μιλήσω
f. να περπατώ	να περπατήσω

21.4

a. Μερικοί φοιτητές (μερικές φοιτήτριες) είναι εδώ σήμερα.
b. Ξέρουμε το καθετί σχετικά με σένα.
c. Αυτό είναι άλλο (ένα άλλο) βιβλίο.
d. Υπάρχει κάτι μέσα σ' αυτό το κουτί (κιβώτιο).
e. Κάποιος ήρθε (μπήκε) στο δωμάτιο.
f. Κάθε πουκάμισο είναι μπλε.
g. Κάθε μέρα είναι ζεστή (κάνει ζέστη).
h. Κάθε μήνας είναι κρύος (κάθε μήνα κάνει κρύο).

21.5

a. δάσκαλος, δασκάλα
b. καθηγητής, καθηγήτρια
c. γιατρός
d. γραμματέας
e. αρχιτέκτονας
f. ταξιτζής
g. γεωργός
h. δικηγόρος
i. συγγραφέας
j. ηθοποιός
k. πρόεδρος
l. μηχανικός
m. επιπλοποιός
n. ζαχαροπλάστης
o. μάγειρας, μαγείρισσα

21.6

a. η Γαλλία, τα γαλλικά, ο Γάλλος, η Γαλλίδα
b. η Κίνα, τα κινέζικα, ο Κινέζος, η Κινέζα
c. η Γερμανία, τα γερμανικά, ο Γερμανός, η Γερμανίδα
d. η Αγγλία, τα αγγλικά, ο Άγγλος, η Αγγλίδα
e. η Ελλάδα, τα ελληνικά, ο Έλληνας, η Ελληνίδα
f. οι Ηνωμένες Πολιτείες, τα αγγλικά, ο Αμερικάνος, η Αμερικανίδα

21.8

- Hello!
- Hello!
- What is your name?
- They call me Sofia.
- And what is your name?
- They call me Penelope.
- I am very pleased.
- Me too.
- Where do you come from?
- I come from Greece.
- You?
- I am from Italy.
- What do you study?
- I study economics.
- And what do you study?
- I study accounting.
- How many years are you studying?
- Three years. I am a junior.
- And you?
- I am finishing this year. (I am senior.)
- What will you do, when you finish?
- I will return to my country.
- My pleasure.
- Me too.
- I hope to see you again.
- Me too. This is my number. Call me sometime.

Lesson 22 – Μάθημα εικοστό δεύτερο

22.1

a. Στο πανεπιστήμιο.
b. Έχει τελειώσει το λύκειο.
c. Έχει υποβάλει αίτηση σε τρία πανεπιστήμια.

d. Θα πάει στο πανεπιστήμιο της Θεσσαλονίκης.
e. Έχουν ετοιμάσει ένα δωμάτιο.
f. Της έχουν αγοράσει ένα μικρό αυτοκίνητο.
g. Έχουν βάλει στο δωμάτιο ένα γραφείο, μια βιβλιοθήκη, ένα τηλέφωνο και μια μικρή τηλεόραση.
h. Θα πηγαινοέρχεται με το αυτοκίνητό της.

22.2

a. Τελειώνω το πρωινό (πρόγευμά) μου.
b. Θα τελειώσω το πρωινό μου.
c. Έχω τελειώσει το πρωινό μου.
d. Θα διαβάσει την Ιλιάδα.
e. Διάβασε την Ιλιάδα.
f. Έχει διαβάσει την Ιλιάδα.
g. Πηγαίνουμε σπίτι.
h. Πήγαμε σπίτι.
i. Θα πάμε σπίτι.
j. Είχαμε πάει σπίτι.
k. Τους βλέπεις (βλέπετε);
l. Τους είδες (είδατε);
m. Θα τους δεις (δείτε);
n. Τους έχεις δει (έχετε δει);
o. Τους είχες δει (είχατε δει);
p. Αγαπά τα παιδιά της.
q. Αγαπούσε τα παιδιά της.
r. Αγάπησε τα παιδιά της.
s. Είχε αγαπήσει τα παιδιά της.

22.3

a. Το βιβλίο είναι στο τραπέζι (είναι πάνω στο τραπέζι).
b. Το μολύβι είναι κάτω από την καρέκλα.
c. Το αυτοκίνητό μου είναι εδώ.
d. Το ποδήλατό σου είναι εκεί.
e. Τα παιδιά είναι έξω.
f. Οι γονείς είναι μέσα.
g. Τα κορίτσια είναι μπροστά (εμπρός).
h. Τα αγόρια έρχονται πίσω (είναι πίσω).
i. Τα δέντρα είναι αριστερά (στα αριστερά).
j. Οι θάμνοι είναι δεξιά (στα δεξιά).
k. Τα δέντρα είναι πίσω (στο πίσω μέρος).
l. Τα λουλούδια είναι μπροστά.
m. Το αεροδρόμιο είναι μακριά.
n. Ο σιδηροδρομικός σταθμός είναι κοντά.

22.4

a. Χρειάζομαι μερικά γραμματόσημα.
b. Πού είναι το ταχυδρομείο;
c. Πόσα γραμματόσημα χρειάζεσαι (χρειάζεστε);
d. Χρειάζομαι γραμματόσημα για τον Καναδά.
e. Χρειάζομαι γραμματόσημα για το εσωτερικό.
f. Θέλω να στείλω πέντε γράμματα.
g. Πού πηγαίνουν τα γράμματα;

22.5

a. έχω αγοράσει, έχεις αγοράσει, έχει αγοράσει, έχουμε αγοράσει. έχετε αγοράσει, έχουν αγοράσει
b. είχα αγοράσει, είχες αγοράσει, είχε αγοράσει, είχαμε αγοράσει, είχατε αγοράσει, είχαν αγοράσει

22.6

a. ετοιμάζομαι (4)
b. περνώ (2)
c. απαντώ (2)
d. αγοράζω (1)
e. πηγαινοέρχομαι (4)
f. κάνω (1)
g. μελετώ (2)
h. είμαι (4)
i. φροντίζω (1)

22.7

a. τις εξετάσεις μου.
b. η αίτησή μου.
c. τηλεοράσεις.
d. στο λύκειο.
e. πανεπιστήμια

22.8

a. θα πάει στο πανεπιστήμιο
b. ένα αυτοκίνητο
c. έχει μια βιβλιοθήκη
d. με το δικό της αυτοκίνητο

22.9

a. Οι γονείς της <u>έχουν τοποθετήσει</u> ένα τηλέφωνο στο δωμάτιο.
b. Τον προηγούμενο χρόνο <u>είχαν αγοράσει</u> ένα αυτοκίνητο.

c. Η Αντιγόνη ετοιμάζεται για το πανεπιστήμιο.

22.10

a. το στάδιο
b. ο ουρανοξύστης
c. το ξενοδοχείο
d. το αεροδρόμιο
e. το νοσοκομείο
f. η πυροσβεστική
g. η τράπεζα
h. η βιβλιοθήκη
i. το σούπερ μάρκετ
j. το εργοστάσιο

22.11

a. κινηματογράφο (στο σινεμά).
b. νοσοκομείο.
c. δημοτικό
d. κολέγιο (πανεπιστήμιο).
e. βιβλιοθήκη.
f. θέατρο.
g. ταχυδρομείο.
h. τράπεζα
i. φαρμακείο.
j. πυροσβεστική υπηρεσία.
k. στάδιο.

Lesson 23 – Μάθημα εικοστό τρίτο

23.1

a. Ο Ανδρέας και ο Παύλος.
b. Είναι στο καφενείο.
c. Παύλο, θα σε στείλω στο πανεπιστήμιο, αν πάρεις καλούς βαθμούς.
d. Έπρεπε να βρει δουλειά.
e. Δεν τα πάει καλά, γιατί δεν έχει δουλειά.
f. Ο Γιάννης έχασε τη δουλειά του.
g. Γιατί προσπάθησε να καταχραστεί χρήματα (λεφτά).
h. Τα νέα που συζητούσαν ήταν άσχημα.

23.2

a. καλά νέα
b. άσχημα νέα
c. ενδιαφέροντα νέα
d. σπουδαία νέα
e. μικρά νέα
f. σπουδαία (περίφημα) νέα

23.3

a. Συζητούμε (συζητάμε) τα νέα.
b. Συζητήσαμε τα νέα.
c. Θα συζητήσουν τα νέα.
d. Έχουμε συζητήσει τα νέα.
e. Δεν είχαν συζητήσει τα νέα.

23.4

a. Αν έρθεις, θα σε δω.
b. Αν δε βρέχει, θα πάμε σε πικνίκ.
c. Αν είχα λεφτά (χρήματα), θα αγόραζα πιο μεγάλο αυτοκίνητο.
d. Αν περάσει τις εξετάσεις (αν πετύχει στις εξετάσεις), θα πάει στο πανεπιστήμιο.
e. Αν το βρω, θα σου το δώσω.
f. Αν διάβαζες περισσότερο, θα ήσουν καλύτερος (πιο καλός) μαθητής.
g. Αν χιονίσει, το σχολείο θα κλείσει.
h. Αν οδηγούσε πιο προσεκτικά, δεν θα είχε το ατύχημα.

23.5

a. Θα ήθελα μια ελληνική εφημερίδα.
b. Έχετε περιοδικά; (Περιοδικά, έχετε;)
c. Έχετε ξένες εφημερίδες;
d. Χρειάζομαι ένα αθλητικό περιοδικό.
e. Έχετε λεξικά;
f. Χρειάζομαι ένα Αγγλο-ελληνικό και Ελληνο-αγγλικό λεξικό.

23.6

Responses will vary.

23.8

a. έχω	I have
b. τελειώνω	I finish
c. αργώ	I am late
d. αφήνω	I leave
e. διορθώνω	I correct
f. λέω	I say, I tell
g. νομίζω	I think
h. μαθαίνω	I learn

Lesson 24 – Μάθημα εικοστό τέταρτο

24.1

a. Ο κύριος Σμιθ είναι δικηγόρος
b. Γιατί θέλει να μάθει ελληνικά.
c. Τελειώνει τη δουλειά του στις πέντε.
d. Τρώει βραδινό στο σπίτι του ή σε ένα εστιατόριο.
e. Άφησε το αυτοκίνητό του να το διορθώσουν.
f. Είναι παντρεμένος με μια ελληνίδα.
g. Η γυναίκα του γεννήθηκε στην Ελλάδα.
h. Του αρέσουν η ελληνική μουσική, ο ελληνικός χορός και το μπουζούκι.

24.2

a. το δείπνο, το πρωινό (το πρόγευμα)
b. το μεσημεριανό φαγητό, το γεύμα, το απογευματινό τσάι
c. ο πρωινός καφές
d. το βραδινό φαγητό

24.3

a. τρώγε	φάε
b. πίνε	πιες
c. γράφε	γράψε
d. περπάτα	περπάτησε
e. έρχου	έλα
f. πήγαινε	πήγαινε
g. ντύνε	ντύσε
h. χτύπα	χτύπησε

24.4

a. να μάθει ελληνικά.
b. μαθήματα (ελληνικών)
c. εστιατόριο.
d. στην Ελλάδα.
e. ελληνικά.
f. ελληνικά
g. δύσκολα
h. μουσική, χορός

24.5

a. lamb
b. veal
c. a dish with eggplant, ground meat and cream
d. chicken soup with beaten eggs and rice
e. stuffed grape leaves with rice
f. salad with fish roe
g. potato salad
h. peasant salad
i. pork chops
j. lamb on the skewer

24.6

a. μερικά (λίγα)
b. Κάποτε (Μερικές φορές)
c. Μερικοί
d. Μερικά
e. Λίγα (Μερικά)
f. λίγο.
g. Λίγες (Μερικές)
h. Κάποιος (Μερικοί)

24.7

a. Παρακολουθεί (Πηγαίνει στις) νυχτερινές τάξεις.
b. Μελετούμε (μαθαίνουμε) ελληνικά.
c. Άργησα να πάω στο μάθημα. (Άργησα για το μάθημα.)
d. Ήρθαμε κατευθείαν από τη δουλειά.
e. Το μάθημα δεν είναι εύκολο. Είναι δύσκολο.
f. Είναι παντρεμένος με ελληνίδα.
g. Το κορίτσι (η νέα) γεννήθηκε στην Ελλάδα.
h. Είναι θαυμάσια μαγείρισσα.
i. Τα παιδιά μιλούν (μιλάνε) ελληνικά.
j. Δεν καταλαβαίνω ελληνικά.
k. Συνήθως τρώω βραδινό (δείπνο) με την οικογένειά μου.
l. Έχω πολλές ερωτήσεις.
m. Δεν έχω ώρα για φαγητό (να φάω).
n. Είμαι Αμερικάνος. Είναι Αμερικανίδα.
o. Μου αρέσει η ελληνική μουσική.
p. Μας αρέσουν τα ελληνικά φαγητά και το κρασί.

24.8

a. παστίτσιο
b. ταραμοσαλάτα
c. πατάτες στον φούρνο
d. μουσακάς
e. αρνάκι ψητό
f. σούπα αβγολέμονο
g. χωριάτικη σαλάτα
h. μπακλαβάς
i. κουραμπιές

Lesson 25 – Μάθημα εικοστό πέμπτο

25.1

a. Ο κύριος Σμιθ θέλει να μάθει ελληνικά, να καταλαβαίνει και να μιλά.
b. Διδάχτηκε την ελληνική ιστορία, τον ελληνικό πολιτισμό και την ελληνική δημοκρατία.
c. Τον Αισχύλο, τον Σοφοκλή και τον Ευριπίδη. Τον Πλάτωνα, τον Αριστοτέλη και τον Σωκράτη.
d. Η ελληνίδα γυναίκα του.
e. Τη λένε Ιφιγένεια.
f. Ο κύριος Σμιθ είναι δικηγόρος.
g. Το γραφείο του είναι στην πόλη.
h. Έχει τρία παιδιά.
i. Το σπίτι του είναι στα προάστια της πόλης.

25.2

a. Έλα. (Ελάτε.)	Πήγαινε. (Πηγαίνετε.)
b. Ας έρθει.	Ας πάει.
c. Φάε.	Ας φάει.
d. Μη πίνεις. (Μη πίνετε.)	Ας πιουν.
e. Τρέξε. (Τρέξετε.)	Μη τρέχεις.
f. Ας τρέξουν.	Ας τρέξει.
g. Πες. (Πέστε.)	Ας πει.
h. Ας πούμε.	Μη πεις.

25.3

a. τραγικός ποιητής
b. ένας από τους φιλοσόφους της Αθήνας
c. ο Ευριπίδης και ο Αισχύλος
d. πυραμίδες

25.4

a. της γυναίκας, του κυρίου Σμιθ, Ιφιγένεια.
b. Άγγλοι.
c. τους τραγικούς ποιητές.
d. του φιλοσόφου Αριστοτέλη.
e. τον Σωκράτη.
f. λόγοι, την Ελλάδα.

25.5

Ο Παρθενώνας
a. Δωρικός
b. Ιωνικός
c. Κορινθιακός

25.6

a. Στο σχολείο διάβασα (για) τον ελληνικό πολιτισμό.
b. Τον διάβασα στο δημοτικό σχολείο, στο λύκειο, στο κολέγιο και στο πανεπιστήμιο.
c. Ένας από τους ξακουστούς (περίφημους) τραγικούς ποιητές ήταν ο Αισχύλος.
d. Ένας άλλος ήταν ο Σοφοκλής.
e. Οι Έλληνες έχτισαν μεγαλόπρεπους ναούς.
f. Κατασκεύασαν περίφημα αγάλματα.
g. Αγαπούσαν την ομορφιά (καλαισθησία).
h. Η δημοκρατία ήταν είδος πολιτεύματος που χρησιμοποίησαν πρώτοι οι Έλληνες.
i. Ο Πλάτωνας, ο Αριστοτέλης και ο Σωκράτης ήταν ξακουστοί φιλόσοφοι.
j. Εξακολουθώ να μαθαίνω για τον ελληνικό πολιτισμό.

Lesson 26 – Μάθημα εικοστό έκτο

26.1

a. στην Ευρώπη, στο νοτιοανατολικό μέρος
b. Το Αιγαίο Πέλαγος στο ανατολικό και η Μεσόγειος θάλασσα στα νότια.
c. η Αλβανία, τα Σκόπια και η Βουλγαρία
d. η Τουρκία
e. εκατοντάδες νησιά
f. η Κρήτη
g. ο Όλυμπος
h. Ότι οι Θεοί κατοικούσαν στο βουνό αυτό.
i. η Αθήνα
j. η Ακρόπολη, ο Παρθενώνας

26.2

a. πίνοντας
b. Περπατώντας
c. γράφοντας
d. τρώγοντας
e. Πεινώντας
f. αγαπώντας
g. ντύνοντας
h. πλένοντας
i. αγοράζοντας
j. Χτυπώντας
k. λέγοντας

26.3

a. Η Ελλάδα είναι μια χώρα στην Ευρώπη.
b. Είναι χερσόνησος.
c. Η πρωτεύουσα της Ελλάδας είναι η Αθήνα.
d. Η Αθήνα είναι αρχαία πόλη.
e. Έχει ιστορία δυο χιλιάδων χρόνων.
f. Υπάρχουν εκατοντάδες όμορφα νησιά στις ελληνικές θάλασσες.
g. Η Ελλάδα είναι η πατρίδα των Ολυμπιακών αγώνων.
h. Η Δημοκρατία γεννήθηκε στην Ελλάδα.
i. Δεν υπάρχουν μεγάλοι ποταμοί στην Ελλάδα. (Η Ελλάδα δεν έχει μεγάλους ποταμούς).
j. Το πιο ψηλό (το ψηλότερο) βουνό είναι ο Όλυμπος.
k. Σύμφωνα με την ελληνική μυθολογία οι Θεοί κατοικούσαν σ' αυτό το βουνό.
l. Είχαν αστραφτερά (λαμπρά) παλάτια.

26.4

a. στα δυτικά
b. στα νοτιοανατολικά της Ευρώπης
c. χερσόνησος
d. περίπου δώδεκα εκατομμύρια
e. η Κρήτη

26.5

a. της Μεσογείου Θάλασσας (στη Μεσόγειο Θάλασσα).
b. του Ιονίου Πελάγους
c. της ελληνικής θάλασσας
d. πρωτεύουσες
e. την Ακρόπολη, της Αθήνας.
f. των Ολυμπιακών αγώνων.

26.6

a. στην, στον, στην
b. στα, στην, στους
c. στα, στην, στις
d. στον, στο
e. στο, στις

26.7

a. η νήσος, οι νήσοι (το νησί, τα νησιά)
b. οι άνθρωποι
c. ο ναός, οι ναοί
d. η πέτρα, οι πέτρες (ο βράχος, οι βράχοι)
e. το μέρος, τα μέρη
f. εκατό, εκατό
g. Any of these three:

μεγαλύτερο	μεγαλύτερα (n.)
μεγαλύτερος	μεγαλύτεροι (m.)
μεγαλύτερη	μεγαλύτερες (f.)

h. το μίλι, τα μίλια
i. το παλάτι, τα παλάτια (το ανάκτορο, τα ανάκτορα)

26.8

a. ούτε, ούτε
b. αλλά
c. δηλαδή (με άλλα λόγια)
d. Παρόλο (Αν και)
e. δηλαδή (με άλλα λόγια)
f. Αφού
g. πριν (προτού)
h. μήπως

26.9

a. βόρεια
b. νότια κατεύθυνση
c. η Θεσσαλονίκη
d. η Πάτρα
e. νοτιοανατολικά
f. στην Πελοπόννησο
g. όχι
h. στη Θεσσαλία
i. βορειοδυτική κατεύθυνση
j. όχι
k. η Ρόδος
l. στο Αιγαίο
m. στη Μακεδονία
n. η Τουρκία
o. βόρεια κατεύθυνση
p. στο νοτιοανατολικό

Lesson 27 – Μάθημα εικοστό έβδομο

27.1

a. η ιστορία της Ευρώπης
b. οι πιο θαυμάσιοι άνθρωποι
c. την ομορφιά.
d. πιο λαμπερά, πιο γαλανός, πιο καθαρός.
e. την ομορφιά στους λόφους, στις πηγές, στη γαλανή θάλασσα.
f. Βρήκαν ομορφιά στα νησιά, στη θάλασσα και στο άσπρο κύμα.

27.2

a. η απέραντη θάλασσα
b. τα αναρίθμητα νησιά
c. ο λαμπρός ορίζοντας
d. οι πράσινοι λόφοι
e. το πολύτιμο πετράδι
f. το ωραίο κτίριο
g. η ευγενής φυλή
h. τα πετρώδη βουνά

27.3

a. Οι Έλληνες αγαπούσαν την ομορφιά.
b. Οι κάτοικοι της αρχαίας Ελλάδας ήταν θαυμάσιοι άνθρωποι.
c. Ο ήλιος στην Ελλάδα λάμπει λαμπρά.
d. Ο ουρανός είναι γαλανός και καθαρός.

27.4

b. χτυπιέμαι	χτυπημένος
c. αγαπιέμαι	αγαπημένος
d. γράφομαι	γραμμένος
e. (no passive)	πεινασμένος
f. (no passive)	διψασμένος
g. διαβάζομαι	διαβασμένος
h. αγοράζομαι	αγορασμένος
i. τρώγομαι	φαγωμένος

27.5

a. γράφω	χτίζω
b. λέω	έρχομαι
c. περπατώ	βγαίνω
d. κάνω	είμαι
e. λέω	λέω

27.6

a. απέραντη	απέραντος
b. αναρίθμητα	αναρίθμητα
c. πολύτιμος	πολύτιμα
d. θαυμάσια	θαυμάσιοι
e. θαυμάσιες (πολύτιμες)	θαυμάσια
f. θαυμάσιοι	πολύτιμες (θαυμάσιες)

27.7

a. πιο πολύτιμο	πολυτιμότερο
b. πιο θαυμάσια	θαυμασιότερη
c. πιο μεγάλο	μεγαλύτερο
d. πιο ευτυχισμένος	ευτυχέστερος
e. πιο λαμπρό	λαμπρότερο

27.8

a. όμορφη ζωή
b. θαυμάσια θέα
c. ψηλά βουνά
d. αναρίθμητα νησιά
e. πολύτιμα βιβλία
f. απέραντος ορίζοντας
g. απέραντη θάλασσα
h. πράσινοι λόφοι
i. γαλάζια θάλασσα
j. μεγαλόπρεπα κτίρια

27.9

a. του γαλανού ουρανού, της μικρής χώρας, του ψηλού βουνού
b. τον γαλανό ουρανό, τη μικρή χώρα, το ψηλό βουνό
c. γαλανέ ουρανέ, μικρή χώρα, ψηλό βουνό
d. οι γαλανοί ουρανοί, οι μικρές χώρες, τα ψηλά βουνά
e. των γαλανών ουρανών, των μικρών χωρών, των ψηλών βουνών
f. τους γαλανούς ουρανούς, τις μικρές χώρες, τα ψηλά βουνά
g. γαλανοί ουρανοί, μικρές χώρες, ψηλά βουνά

27.10

a. έζησα, έζησες, έζησε, ζήσαμε, ζήσατε, έζησαν
b. έχω ζήσει, έχεις ζήσει, έχει ζήσει, έχουμε ζήσει, έχετε ζήσει, έχουν ζήσει

27.11

a. Ανεβήκαμε στον Λυκαβηττό και είδαμε το παλαιό εκκλησάκι του Αγίου Γεωργίου.
b. Στο μουσείο στη Βεργίνα είδαμε τους θησαυρούς του Μεγάλου Αλεξάνδρου.

27.12

a. τους καταπράσινους λόφους.
b. της πηγής
c. της θάλασσας
d. τον καθαρό αέρα, του βουνού.
e. τα ωραία χτίσματα (κτίσματα).
f. της Ευρώπης.
g. των θαυμάσιων αυτών ανθρώπων.

27.13

masculine:ο λόφος, ο ορίζοντας, ο κόσμος, ο αέρας
feminine: η πηγή, η χώρα, η στεριά, η παραλία, η νήσος, η θάλασσα, η ιστορία
neuter: το νησί, το ποίημα, το χτίσμα, το άγαλμα, το τραγούδι, το πέλαγος, το βουνό, το μέρος

27.14

οι λόφοι, οι πηγές, οι ορίζοντες, οι χώρες, οι στεριές, οι παραλίες, τα νησιά, οι νήσοι, τα ποιήματα, οι κόσμοι ,τα χτίσματα, τα αγάλματα, τα τραγούδια, τα πελάγη, οι θάλασσες, τα βουνά, οι αέρηδες, τα μέρη, οι ιστορίες

Lesson 28 – Μάθημα εικοστό όγδοο

28.1

a. οικονομικά
b. σε μια εταιρεία που έχει πολλά καταστήματα
c. οικονομικός σύμβουλος
d. Θέλει να μάθει να μιλά ελληνικά άπταιστα.
e. Για να μάθει ελληνικά
f. Να πάει ένα ταξίδι στην Ελλάδα.
g. Για να εξασκήσει (to exercise) τα ελληνικά του.
h. σε ένα βιβλιοπωλείο
i. το φθινόπωρο
j. Γιατί ο καιρός δεν είναι ούτε ζεστός ούτε κρύος και η θάλασσα είναι συνήθως ήσυχη. Δεν υπάρχουν πολλοί τουρίστες, υπάρχουν πολλά φρούτα και μπορεί κάποιος να βρει εύκολα δωμάτιο στα ξενοδοχεία και θέσεις στα αεροπλάνα.

28.2

a. ο τουρίστας	ο κάτοικος
b. ο ήλιος	η χώρα
c. η ομορφιά	η παραλία (η ακτή)
d. η άνοιξη	η γη
e. η ξηρά (η στεριά)	το άγαλμα
f. τα χρόνια	το νησί (η νήσος)

28.3

Sentences will vary.

28.4

a. καταπράσινο.
b. καθαρός.
c. λαμπρός (λαμπερός).
d. απέραντος.
e. ψηλά.
f. γαλάζια, γαλάζιο
g. Αναρίθμητα

28.5

a. φοβάσαι, φοβάται, φοβόμαστε, φοβάστε, φοβούνται
b. φοβόσουν, φοβόταν, φοβόμαστε (φοβόμασταν), φοβόσαστε (φοβόσασταν), φοβούνταν (φοβόντουσαν)
c. φοβήθηκες, φοβήθηκε, φοβηθήκαμε, φοβηθήκατε, φοβήθηκαν

28.6

a. θα έχω πάει, I will have gone
θα είχα πάει, I would have gone
b. θα έχω μάθει, I will have learned
θα είχα μάθει, I would have learned
c. θα έχω απαντήσει, I will have answered
θα είχα απαντήσει, I would have answered
d. θα έχω μείνει, I will have stayed
θα είχα μείνει, I would have stayed
e. θα έχω βοηθήσει, I will have helped
θα είχα βοηθήσει, I would have helped
f. θα έχω μπορέσει, I will been able
θα είχα μπορέσει, I would have been able

28.8

a. Τι σκέφτεσαι; (Τι σκέφτεστε;, Τι νομίζεις;, Τι νομίζετε;)
b. Τι σκεφτόσουν; (Τι σκεφτόσαστε;)
c. Τι σκέφτηκε; (Τι νόμισε;)
d. Νόμισα πως ήταν λάθος.
e. Σκέφτηκες τι μπορείς να κάνεις; (Σκεφτήκατε τι μπορείτε να κάνετε;)
f. Σκεφτόμαστε να φύγουμε για λίγες μέρες.
g. Νομίζεις πως είναι καλή ιδέα; (Νομίζετε πως είναι καλή ιδέα;)
h. Νομίζουμε πως πρέπει να πάμε.

28.9

a. Σπούδασα οικονομικά.

b. Πήγα (Σπούδασα) στο τοπικό (ντόπιο) πανεπιστήμιο.
c. Ήμουν στο κολέγιο (Σπούδαζα) για τέσσερα χρόνια.
d. Δουλεύω (Εργάζομαι) σε μια εταιρεία.
e. Είναι μια εταιρεία με πολλά καταστήματα.
f. Μπορώ να μιλώ ελληνικά άπταιστα.
g. Ο δάσκαλός μου (Η δασκάλα μου) με βοηθά να μάθω ελληνικά.
h. Αγόρασα έναν τουριστικό χάρτη.
i. Τον αγόρασα από το ντόπιο βιβλιοπωλείο.
j. Σκέφτομαι να πάω σε ένα μακρινό ταξίδι.
k. Το σκέφτομαι για πολύ καιρό τώρα.

28.10

a. τα βιβλιοπωλεία	οι ιδέες
b. οι οδηγοί	τα καταστήματα
c. τα ταξίδια	οι κουβέντες
d. οι θέσεις	τα καλοκαίρια

28.11

a. Θυμάμαι τι μου είπες.
b. Με θυμάσαι;
c. Να θυμάσαι τι λέω.
d. Θα σε θυμάμαι για πάντα (πάντοτε).
e. Έχουν θυμηθεί τους παλιούς φίλους.

28.12

a. Κοιμήθηκες καλά; (Κοιμηθήκατε καλά;)
b. Τι ώρα ξύπνησες; (Τι ώρα ξυπνήσατε;)
c. Τι ώρα πλαγιάζεις (πηγαίνεις για ύπνο) και τι ώρα ξυπνάς;
Τι ώρα πλαγιάζετε (πηγαίνετε για ύπνο) και τι ώρα ξυπνάτε;
d. Κοιμήθηκα δυο ώρες.

Lesson 29 – Μάθημα εικοστό ένατο

29.1

a. Πηγαίνει στο βιβλιοπωλείο γιατί θέλει να αγοράσει ένα τουριστικό οδηγό.
b. Ο υπάλληλος του δίνει τρία βιβλία.
c. Διαλέγει ένα βιβλίο.
d. Πληρώνει το βιβλίο στο ταμείο.
e. Πολλές αεροπορικές εταιρείες.
f. Αποφασίζει να πάει με την Ολυμπιακή.
g. Πετάει από τη Νέα Υόρκη.
h. Διαρκεί περίπου εννέα ώρες.
i. Το αεροπλάνο φεύγει στις έξι το βράδυ.
j. Φτάνει την άλλη μέρα στις έντεκα το πρωί.
k. Αγοράζει εισιτήριο με επιστροφή.
l. Το εισιτήριο κάνει χίλια διακόσια δολάρια.
m. Ζητά το όνομα, τη διεύθυνση και το τηλέφωνο.

29.2

a. η αεροπορική εταιρεία
b. το εισιτήριο, η πτήση
c. Μπορώ να έχω μερικές πληροφορίες, παρακαλώ;
d. η διεύθυνσή μου είναι
e. ο αριθμός του τηλεφώνου μου είναι (το τηλέφωνό μου είναι)
f. υπάρχει μια καθημερινή πτήση
g. Η πτήση είναι από τη Νέα Υόρκη στην Αθήνα.
h. Η τιμή του εισιτηρίου είναι χίλια διακόσια δολάρια.
i. Μπορείτε να πληρώσετε με πιστωτική κάρτα.

29.3

a. πήγαινα, πήγα, θα πηγαίνω, θα πάω, έχω πάει, είχα πάει, θα έχω πάει
b. ερχόμουν, ήρθα, θα έρχομαι, θα έρθω, έχω έρθει, είχα έρθει, θα έχω έρθει

29.4

a. Το σπίτι μου είναι απέναντι στο δικό σου.
b. Η Ελλάδα είναι ανατολικά της Ιταλίας.
c. Το Αιγαίο Πέλαγος είναι μεταξύ Ελλάδας και Τουρκίας.
d. Η φτώχεια είναι παντού.
e. Πουθενά δεν είναι. (Δεν είναι πουθενά.)
f. Το ταχυδρομείο είναι εδώ κοντά.
g. Το νοσοκομείο είναι μακριά.
h. Η Αγγλία είναι βορειοδυτικά της Ιταλίας.

29.5

Answers will vary.

29.6

a. η βαλίτσα
b. ο χάρτης

c. το διαβατήριο
d. το εισιτήριο
e. η σάκα
f. η φωτογραφική μηχανή
g. το φιλμ
h. το πορτοφόλι
i. τα κλειδιά
j. τα κέρματα
k. η ταυτότητα

29.7

a. αεροπλάνο.
b. τις αεροπορικές εταιρείες.
c. εισιτήριο.
d. πιστωτική κάρτα.
e. δέκα ώρες.
f. με επιστροφή.
g. αναχώρηση.
h. Η διεύθυνσή του
i. ο αριθμός του τηλεφώνου μου είναι (το τηλέφωνό μου είναι)
j. η διεύθυνσή μου είναι

29.8

a. το λεπτό, ο υπάλληλος
b. η αεροπορική εταιρεία
c. το ταμείο, η πτήση
d. το εισιτήριο, το καθημερινό
e. η διεύθυνση, η μέρα
f. η αναχώρηση, η άφιξη

29.9

a. Οι φίλοι μας μας επισκέφθηκαν.
b. Θα τους επισκεφθούμε του χρόνου.
c. Μένουν στην Πάτρα.
d. Πέρισυ έμεναν στην Αθήνα.
e. Τους επισκεπτόμαστε συχνά.
f. Ένας φίλος μου δεν με έχει επισκεφθεί για πολύ καιρό.
g. Πότε θα μας επισκεφθείς (επισκεφθείτε);
h. Μένεις εδώ πολύ καιρό;

29.10

a. στο
b. από
c. στον
d. κοντά
e. από, μέχρι
f. με
g. δεξιά, αριστερά
h. κάτω, πάνω
i. μακριά

29.11

a. πεινασμένα
b. διψασμένα
c. δεμένος
d. κουρασμένοι
e. λυπημένοι
f. ψημένο

Lesson 30 – Μάθημα τριακοστό

30.1

a. Φεύγει την πρώτη Σεπτεμβρίου.
b. Έχει δυο βαλίτσες.
c. Με αεροπλάνο της Ολυμπιακής αεροπορίας.
d. Η πτήση διαρκεί εννιά ώρες.
e. Φτάνει στο αεροδρόμιο της Αθήνας «Ελευθέριος Βενιζέλος».
f. Περνά από τον έλεγχο διαβατηρίων.
g. Πηγαίνει με ταξί.
h. Λέγεται «Ηλέκτρα».
i. Ένα κορίτσι με καστανά μάτια και μαύρα μαλλιά.
j. Ένα μονόκλινο δωμάτιο με κλιματισμό, ιδιαίτερο μπάνιο και μπαλκόνι.
k. Έχει θέα την Ακρόπολη.

30.2

a. Κάθε πρωί πίνει ένα ποτήρι χυμό από φρούτα.
b. Τρώει ένα ελαφρύ πρόγευμα, φρυγανιά με βούτυρο και μαρμελάδα.
c. Πίνει ένα φλιτζάνι (μαύρο) καφέ.
d. Τρώει επίσης ένα φρούτο.
e. Όταν ο καιρός είναι καλός πάει περίπατο στον κήπο.
f. Ο κήπος είναι μεγάλος και μακρύς. Έχει πολλά λουλούδια και πολλά μεγάλα δέντρα.
g. Του αρέσει να περπατά στους δρόμους και τις λεωφόρους της Αθήνας.
h. Επισκέπτεται τα μουσεία και τους αρχαιολογικούς χώρους.
i. Απολαμβάνει το φαγητό στις ελληνικές

ταβέρνες και τα εστιατόρια.
j. Πίνει λίγο κρασί με το φαγητό του. Του αρέσει το ελληνικό κρασί.

30.3

a. Πού είναι το ταχυδρομείο;
Πού είναι μια τράπεζα;
b. Πού είναι ένα φαρμακείο;
Πού είναι ο σταθμός των λεωφορείων;
c. Πού πουλούν εφημερίδες;
Πού πουλούν περιοδικά;
d. Πού μπορώ να βρω έναν γιατρό;
Είναι το μετρό εδώ κοντά;
e. Πού μπορώ να ενοικιάσω ένα αυτοκίνητο;
Πόσο μακριά είναι η παραλία απ' εδώ;

30.4

a. Τελειώνει το πρόγευμα και βγαίνει στον δρόμο.
b. Περνά από τον έλεγχο διαβατηρίων και παίρνει ένα ταξί για την Αθήνα.
c. Σήμερα θα φάει αβγά.
d. Η βασίλισσα Αμαλία δημιούργησε τον Εθνικό Κήπο της Αθήνας.
e. Πηγαίνει στην Ακρόπολη γιατί θέλει να δει τον Παρθενώνα. (Πηγαίνει στον Λυκαβηττό γιατί θέλει να δει τον εκκλησάκι του Αγίου Γεωργίου.)

30.5

a. Τον είδα πέρισυ.
b. Θα έρθουμε φέτος.
c. Έρχονται συχνά.
d. Κάποτε πηγαίνουμε στο σινεμά.
e. Ποτέ δεν πάμε σε ταξίδι.
f. Απαντήσαμε αμέσως.

30.6

a. της αναχώρησης
b. Σεπτεμβρίου
c. των διαβατηρίων
d. των φρούτων
e. του Αγνώστου Στρατιώτη
f. του Εθνικού Κήπου
g. των φυτών

30.7

a. Έφυγε την πρώτη Σεπτεμβρίου.
b. Έφτασε την άλλη μέρα.
c. Τον καλωσόρισε.
d. Ξύπνησε πρωί.
e. Τέλειωσε το πρόγευμα.
f. Ανέβηκε με τα πόδια.
g. Περπάτησε στις αλέες.
h. Σκοτείνιασε.

30.9

Answers will vary.

30.10

a. ξενοδοχείο
b. ρεσεψιόν
c. μονοπάτι
d. θέαμα
e. κρασί or επιδόρπιο

30.11

δρόμος, κλιματισμός, Αλέκος, κήπος πνεύμονας, λόφος, Λυκαβηττός

30.12

a. θα πληρώσω, θα πληρώσεις, θα πληρώσει, θα πληρώσουμε, θα πληρώσετε, θα πληρώσουν
b. διάλεξα, διάλεξες, διάλεξε, διαλέξαμε, διαλέξατε, διάλεξαν

30.13

a. έχω κρατήσει, έχεις κρατήσει, έχει κρατήσει, έχουμε κρατήσει, έχετε κρατήσει, έχουν κρατήσει
b. κοίταζα, κοίταζες, κοίταζε, κοιτάζαμε, κοιτάζατε, κοίταζαν

Lesson 31 – Μάθημα τριακοστό πρώτο

31.1

a. της Ειρήνης.
b. Αθήνα, Αθηναία.
c. το φυλλάδιο, Συμβουλεύεται
d. Πλατεία Συντάγματος, Πλατεία Ομονοίας.
e. Σλήμαν, Τροία, Μυκήνες.
f. Προπύλαια.
g. ο Παρθενώνας.
h. Ερέχθειο, της Απτέρου Νίκης.
i. λόφος.

31.2

a. της Ακρόπολης
b. του μουσείου
c. της Λεωφόρου
d. της οδού
e. του Ολυμπίου Διός.
f. των Προπυλαίων
g. των βουνών
h. του νεοκλασσικού οικοδομήματος
i. των εκθεμάτων

31.3

a. τα κτίρια των βιβλιοθηκών
b. οι βιτρίνες των καταστημάτων
c. οι φοιτητές των πανεπιστημίων
d. οι υπηρεσίες των ξενοδοχείων
e. οι ανασκαφές των αρχαιολογικών τόπων

31.4

a. μας περιποιείται
b. περιποιείται
c. θα σας περιποιηθούμε.
d. με περιποιούνταν
e. σε περιποιείται (σας περιποιείται);
f. περιποιούμαι

31.5

a. Πώς είσαι; (Πώς είστε;)
b. Σήμερα είμαι όπως ήμουν και χτες.
c. Οπωσδήποτε θα πάμε.
d. Μπορείς να κάνεις (Μπορείτε να κάνετε) διαφορετικά;
e. Ο άνεμος άρχισε να φυσά ξαφνικά.
f. Όλα είναι καλά.
g. Του κακού του λέγαμε να μην πάει.
h. Είναι ακριβώς τρεις η ώρα.
i. Το αεροπλάνο μόλις έφτασε.
j. Ταξιδέψαμε χωριστά.
k. Ευτυχώς κανένας δεν ήταν στο σπίτι την ώρα της φωτιάς.
l. Δυστυχώς χάσαμε το παιχνίδι.

31.6

a. Παίρνω διπλό μισθό.
b. Το ποσό είναι τρεις φορές μεγαλύτερο.
c. Κέρδισε τριπλή νίκη.
d. Ο αριθμός εκατό είναι δέκα φορές μεγαλύτερος από τον αριθμό δέκα.

31.7

a. ο εκτυπωτής
b. το φαξ
c. ο ηλεκτρονικός υπολογιστής
d. το διαδίκτυο
e. το τηλέφωνο
f. το κινητό τηλέφωνο
g. ο φορητός υπολογιστής
h. η τηλεόραση
i. το ραδιόφωνο

31.8

a. ξεχνώ	ξέχασα
ξεχνάς	ξέχασες
ξεχνά	ξέχασε
ξεχνούμε	ξεχάσαμε
ξεχνάτε	ξεχάσατε
ξεχνούν	ξέχασαν
b. ξεχνιέμαι	ξεχάστηκα
ξεχνιέσαι	ξεχάστηκες
ξεχνιέται	ξεχάστηκε
ξεχνιόμαστε	ξεχαστήκαμε
ξεχνιέστε	ξεχαστήκατε
ξεχνιούνται	ξεχάστηκαν

31.9

a. Ξεχάστηκα.
b. Μη με ξεχνάς.
c. Μας ξέχασαν.
d. Ξεχαστήκαμε.

Lesson 32 - Μάθημα τριακοστό δεύτερο

32.1

a. τη Σαντορίνη, την Κρήτη και τη Ρόδο
b. στο Αιγαίο Πέλαγος
c. Ταξίδεψε με πλοίο.
d. στη Σαντορίνη
e. στο κατάστρωμα
f. το κύμα
g. με τα πόδια
h. με μουλάρι (καβαλικεύοντας μουλάρι)
i. Καταστράφηκε από σεισμό.

32.2

a. Με πληροφόρησε.
b. Πληροφορούμουν.
c. Μας έχουν πληροφορήσει.

d. Ποιος σε πληροφόρησε;
e. Έχουν πληροφορηθεί.
f. Πληροφόρησέ μας σχετικά με τις λεπτομέρειες.
g. Πληροφορηθήκαμε για τον άσχημο καιρό.

32.3

a. Πόσο κάνει αυτό;
b. Μείνε όσο θέλεις.
c. Σήμερα είχαμε πιο πολλή βροχή από ότι είχαμε χτες.
d. Είχαμε αρκετά χρήματα για το ταξίδι μας.
e. Μου τηλεφωνά τουλάχιστο δυο φορές την εβδομάδα.
f. Ήταν περίπου δέκα άνθρωποι εκεί.
g. Δεν υπάρχει καθόλου νερό.
h. Το παιδί θέλει λίγο τυρί.
i. Έχεις (έχετε) λιγότερα (πιο λίγα) χρήματα τώρα.
j. Θέλω μόνο λίγο γάλα.

32.4

a. το πλοίο (το βαπόρι, το ατμόπλοιο)
b. το ποδήλατο
c. το τρένο
d. η μοτοσυκλέτα
e. το ταξί
f. το αεροπλάνο

32.5

Oral exercise done in class.

32.6

a. πες, πήγαινε, γυμνάσου, περπάτα
b. βρες, κάνε, δες, αγόρασε
c. κοιμήσου , ξύπνα, μπες, γύρισε

32.7

a. με αεροπλάνο
b. δυο ποδήλατα
c. όμορφα μέρη
d. δυο βάρκες
e. πολλούς νέους και νέες
f. τον αέρα της θάλασσας
g. στη θάλασσα

32.8

a. φεύγω (1), κατεβαίνω (1), είμαι (4) απολαμβάνω (1)
b. αποκοιμιέμαι (4), φτάνω (1), διαβάζω (1) βυθίζομαι (4)
c. περπατώ (2), επισκέπτομαι (4), γυρίζω (1) γνωρίζω (1)

32.9

a. από σεισμό
b. το πάνω μέρος του πλοίου
c. όταν το φεγγάρι είναι γεμάτο
d. όταν ανατέλλει ο ήλιος
e. πιο λίγο
f. he (she) was informed

32.10

a. Νυστάζω.
b. Απόλαυσα το ταξίδι.
c. Ξημερώνει. (Φωτίζει.)
d. Περπάτησα από τη μια άκρη της πόλης στην άλλη.
e. Έμεινα εκεί τρεις μέρες.
f. Θα πάω πίσω. (Θα γυρίσω πίσω.)
g. Αποκοιμήθηκα.
h. Η θέα ήταν θεαματική.
i. Οι τουρίστες ανέβαιναν με τα πόδια (περπατώντας).
j. Μερικοί τουρίστες ήταν πάνω σε μουλάρια (ανέβαιναν πάνω σε μουλάρια)
k. Ήταν μια καλή εμπειρία.

Lesson 33 – Μάθημα τριακοστό τρίτο

33.1

a. η μαγιονέζα
b. το ξίδι
c. το λάδι
d. το πιπέρι
e. το αλάτι
f. το κέτσαπ
g. η μουστάρδα

33.2

a. Στο εστιατόριο Διόνυσος.
b. Είχε φάει μουσακά.
c. Αρκετά μεγάλος.
d. Η Ειρήνη έφαγε αρνάκι στον φούρνο με πατάτες και μια χωριάτικη σαλάτα. Ο Αλέκος μουσακά και

αγγουροντοματοσαλάτα.
e. Μετά το φαγητό ο Αλέκος συνόδευσε την Ειρήνη μέχρι το σπίτι της.

33.3

a. το τραπεζομάντηλο, το τραπέζι
b. το πιάτο, τα πιάτα (οι πιατέλες)
c. το ποτήρι, το φλιτζάνι
d. το αλάτι, το λάδι
e. το κουτάλι, το πιρούνι
f. το μαχαίρι, η πετσέτα
g. η χαρτοπετσέτα, το ξίδι
h. το πιπέρι, η μουστάρδα

33.4

a. μητερούλα, αδελφούλα
b. παιδάκι, αγοράκι
c. φωνούλα (φωνίτσα), καρδούλα
d. πατατούλα (πατατίτσα), ντοματούλα (ντοματίτσα)
e. σαλατίτσα, βροχούλα

33.5

a. Η ακοή του
b. όραση.
c. όσφρηση.
d. αφής.
e. γεύσης.

33.6

a. χαρτονομίσματα των 50, των 20, των 10 και των 5 ευρώ
b. κέρματα του ενός και των δύο ευρώ
c. κέρματα των δέκα, των πέντε, των δύο και του ενός σεντ

33.7

a. μαχαίρι.
b. κουτάλι.
c. το πιρούνι.
d. το ποτήρι.
e. φλιτζάνι.
f. πετσέτα (χαρτοπετσέτα).
g. τραπεζομάντηλο.
h. αλάτι.
i. πιπέρι.
j. λάδι, ξίδι.

33.8

a. ο ελληνικός καφές, το κόκκινο κρασί
b. του ελληνικού καφέ, του κόκκινου κρασιού
c. τον ελληνικό καφέ, το κόκκινο κρασί
d. ελληνικέ καφέ, κόκκινο κρασί
e. οι ελληνικοί καφέδες, τα κόκκινα κρασιά
f. των ελληνικών καφέδων, των κόκκινων κρασιών
g. τους ελληνικούς καφέδες, τα κόκκινα κρασιά
h. ελληνικοί καφέδες, κόκκινα κρασιά

33.9

Sentences will vary.

33.10

a. Τι θα θέλατε;
b. Έχουμε ωραία κρέατα και φρέσκα ψάρια σήμερα.
c. Θα φάμε κρέας σήμερα.
d. Φάγαμε ψάρι χτες.
e. Θα ήθελα κοτόπουλο με ρύζι.
f. Κι εσείς;
g. Αρνάκι στον φούρνο, παρακαλώ.
h. Έχετε μοσχάρι με πατάτες;
i. Μάλιστα, έχουμε.
j. Αυτό θέλει (αυτό θα πάρει).
k. Θέλω ένα πιάτο μουσακά.
l. Θέλετε λίγη σαλάτα;
m. Μάλιστα, παρακαλώ. Θα ήθελα μια σαλάτα.
n. Θέλετε λίγο κρασί; (Θα θέλατε λίγο κρασί;)
o. Ναι, παρακαλώ.
p. Άσπρο ή κόκκινο;
q. Κόκκινο, είναι κρύο;
r. Ναί, είναι παγωμένο.

Lesson 34 – Μάθημα τριακοστό τέταρτο

34.1

a. Ο Αλέκος πηγαίνει στα Μετέωρα, στους Δελφούς, στην Ολυμπία, στην Επίδαυρο, στις Μυκήνες, στην Κόρινθο.
b. Πηγαίνει στην Πλάκα.
c. Για τους συγγενείς και φίλους.
d. Αγοράζει μικρά αγαλματάκια,

κομπολόγια, εικόνες, δερμάτινες τσάντες, ζωγραφιές ελληνικών τοπίων, ένα τάβλι, και μια ελληνική σημαία.

e. Αγοράζει δερμάτινες τσάντες.
f. Μια ελληνική σημαία.
g. Αποχαιρετά και ευχαριστεί την Ειρήνη.
h. Υπόσχεται να της γράφει. (Να έχει αλληλογραφία μαζί της.)
i. Λέει ότι θα χαρεί πολύ να παίρνει γράμμα του.

34.2

a. Θέλω να αγοράσω μερικά δώρα.
b. Θέλω μερικά δώρα για τους φίλους μου.
c. Πόσο κάνουν τα κομπολόγια;
d. Έχετε δερμάτινα;
e. Μπορώ να έχω ένα τάβλι;
f. Έχετε εικόνες;
g. Θέλω μια εικόνα του Αγίου Νικολάου. Το όνομα του πατέρα μου είναι Νικόλαος.
h. Θέλω να τη δώσω δώρο στον πατέρα μου.

34.3

a. λούζοντας	λουσμέν-ος, -ο, ο
b. πνίγοντας	πνιγμέν-ος, -η, -ο
c. πιάνοντας	πιασμέν-ος, -η, -ο
d. προτιμώντας	προτιμότερ-ος, -η, -ο
e. διαβάζοντας	διαβασμέν-ος, -η, -ο

34.4

a. Ελλόγιμε κύριε
b. Σεβαστέ Πάτερ
c. Αγαπητέ φίλε
d. Σεβασμιότατε
e. Αξιότιμε κύριε
f. Αξιότιμη κυρία (Αξιότιμος κυρία)
g. Έντιμε κύριε
h. Υψηλότατε
i. Μεγαλειότατε

34.5

a. Με αγάπη (Με σεβασμό)
b. Με εκτίμηση (Μεθ' υπολήψεως)
c. Μεθ' υπολήψεως
d. Με σεβασμό
e. Φιλικότατα
f. Με εκτίμηση
g. Μετά σεβασμού

34.6

a. εικόνες
b. αγάλματα (αγαλματάκια)
c. μαύρες τσάντες
d. πολύχρωμα κομπολόγια
e. ελληνικές σημαίες
f. μπρίκια για ελληνικό καφέ
g. πίνακες του Παρθενώνα
h. ζευγάρια παπούτσια
i. ζωγραφιές ελληνικών τοπίων

34.7

a. πήγε
b. επισκέφθηκε
c. διήρκεσε
d. υπήρχαν
e. αγόρασε
f. ήταν
g. θύμιζαν (θύμισαν)
h. αποχαιρέτησε
i. ευχαρίστησε

34.8

a. Πήγα σε μια άλλη περιοδεία.
b. Σε αποχαιρετώ.
c. Θα αλληλογραφούμε.
d. Θα χαρώ πολύ να παίρνω γράμματά σου.
e. Αγόρασα πολλά δώρα.
f. Φεύγω αύριο.
g. Θα γυρίσω του χρόνου. (Θα επιστρέψω του χρόνου).
h. Η χώρα σου μου αρέσει πολύ.
i. Πέρασα ωραία (πολύ καλά).
j. Απόλαυσα τα πάντα, τα φαγητά, την ομορφιά της χώρας, τη φιλοξενία του κόσμου.
k. Γυρίζω (επιστρέφω) με τις καλύτερες εντυπώσεις.
l. Τώρα αποχαιρετώ.